W9-AQL-671

WITHDRAWN
CORNING MUSEUM
OF GLASS

Herausgegeben,
fotografiert und kommentiert
von Herbert Maeder
mit Textbeiträgen von
Prof. Dr. Carl Rathjens,
Herbert Maeder und
Dr. Pierre Centlivres

Walter-Verlag
Olten und Freiburg im Breisgau

Herbert Maeder

Berge, Pferde und Bazare

Afghanistan, das Land am Hindukusch

Typographische Gestaltung Theo Frey
Lithographien der Schwarzweiß- und Farbbilder:
Photolitho AG, Goßau-Zürich
Satz: Fotosatz aus den Werkstätten des
Walter-Verlags, Olten
Druck: Herder GmbH, Freiburg im Breisgau
Einband: Walter-Verlag Buchbinderei Heitersheim
Printed in Germany

ISBN 3-530-54400-0

Inhalt

Auf den Spuren Marco Polos

Herbert Maeder

Hindukusch – Mazar-i-Scharif – Kabul – Amu-Darya – Kandahar! Namen stehen am Beginn meiner Bekanntschaft mit dem Land Afghanistan. Namen von Bergen, Städten, Dörfern und Flüssen, entdeckt auf den Blättern eines abgegriffenen Atlasses bei der Suche nach Marco Polos Weg zum Reich der Mitte. Alexander der Große! Stammte seine Frau nicht aus Balkh, der geheimnisvollen Mutter der Städte? Tamerlan – Zarathustra – Tschingis-Chan? Namen von Menschen, Königen, Feldherren, Religionsstiftern, Namen, die Geschichte machten, die aufragen wie Gebirgsspitzen und mich denken lassen an die Namenlosen, die Geschichte nur erleiden, die Völker Asiens, deren Spuren die Geschichtsforscher studieren in Bamian und Laschkari-Bazar, in Ghazni, Guldara, Jam, Begram, Surch-Kotal und Nuristan.

Hindukusch – Hindutöter – heißt der Gebirgszug, der westlich an die höchsten Berge der Welt anschließt und das Rückgrat des Königreichs Afghanistan bildet. Eine Gruppe noch unbenannter Fünftausender im Südwesten des historisch bedeutsamen Anjuman-Passes war im Herbst 1967 das Ziel einer kleinen Expedition, die von den Professoren Wilhelm Krelle und Horst Albach aus Bonn angeregt und organisiert worden war. Diese bergsteigerische Hindukuschfahrt war der Anstoß zu meiner ersten Reise nach Afghanistan. Ich suchte Berge und fand Menschen.

Die zähen, fröhlichen Bergtadschiken des Pandschirtals, die geduldigen, starken Hazaras mit ihren breitknochigen Mongolengesichtern, die stolzen, nomadisierenden Paschtunen, die geschickten tadschikischen Handwerker, die verwegenen Buzkaschireiter der baktrischen Tiefebene – Menschen, verschieden in Sprache und Sitten, geeint im islamischen Glauben und in einem Lebensstil, der dem unsern denkbar entgegengesetzt ist.

Zeit ist nicht Geld in Afghanistan. Zeit ist Leben, von Allah geschenkt, von Allah genommen.

Azizullah Saré, Assistent an der wirtschaftswissenschaftlichen Fakultät der Universität Kabul, war 1967 unser Dolmetscher im Pandschirtal. Im Sommer 1968 hat er mich auf meinen Reisen nach Badachschan, Nuristan, Aktscha, Laschkari-Bazar und Herat begleitet. Wir haben unter dem Sternenhimmel geschlafen, im Kunduz, im Koktscha, im Hilmend, im Kunar und im Hari-Rud gebadet, uns von duftenden Fladenbroten, Melonen, Khabab und Tee ernährt. Die Reisen mit Azizullah – dem von Gott Geliebten – haben meine Zuneigung zu den Menschen des kargen Berg- und Steppenlandes vertieft.

Auf einer dritten Afghanistan-Reise, im Winter 1969/70, konnte Azizullah nicht mehr dabei sein. Er hatte inzwischen ein Stipendium an der Bonner Universität erhalten. Sein jüngerer Bruder Torealei fuhr mit mir zu den Winterlagern der Nomaden nach Laghman und zu den Buzkaschispielen im Norden des Hindukusch.

Torealei – das Schwert – ist ein sensibler junger Mann von hoher Intelligenz, er studiert wie sein Bruder Wirtschaftswissenschaften, daneben mit Begeisterung abendländische Musik.

Das Rad war an der Wende des vergangenen Jahrhunderts in Afghanistan unbekannt. Esel, Pferde, Kamele und Yaks sowie Flöße aus aufgeblasenen Ziegenhäuten blieben bis zum Beginn der dreißiger Jahre die einzigen Verkehrsmittel. 1956, als die afghanische Regierung ihren ersten Fünfjahresplan für die Entwicklung des Landes zu verwirklichen begann, gab es noch keinen Kilometer asphaltierte Straße. Seither hat sich vieles geändert. Die wichtigsten Städte sind durch gute Straßen verbunden, und die Linien der landeseigenen Luftfahrtgesellschaft «Ariana» schließen das Land an den Weltluftverkehr an. – Meine afghanischen Freunde mögen mir verzeihen, daß in diesem Bildband das moderne Afghanistan, auf das sie mit Recht stolz sind, kaum vorkommt.

▶

9 Baba, Familienältester aus dem Nomadenstamm der Ahmad-Sai. Die Begriffe Freiheit, Ritterlichkeit, Würde, Ehre und Stolz zeichnen das Wesen des Paschtunen.

10, 11 Eine Kutschikarawane hat nach einer nächtlichen Wanderung von Badachschan kommend die Gegend von Chanabad in Nordafghanistan erreicht. Zweieinhalb Millionen Kutschi [Nomaden] legen auf dem Weg zu neuen Futterplätzen im Jahr viele Hunderte Kilometer zurück.

12 Ziel jeder nächtlichen Wanderung ist die Tränke. An einem Bewässerungskanal, der vom nahen Taleqanfluß gespeist wird, erfrischen sich Menschen und Tiere.

13 Rund zweihunderttausend Kamele suchen in den afghanischen Trockengebieten ihre Nahrung, die vorwiegend aus Disteln und Dornen besteht. Das Kamel ist als Tragtier in vielen Gebieten unentbehrlich.

14, 15 Bergland Afghanistan! Das Gesicht des 650000 Quadratkilometer großen Landes wird weitgehend durch kahle, felsige Bergzüge bestimmt, die im Osten, im Wachan oder Pamir über siebentausend Meter hoch werden und gegen Westen abflachen. Namenlose Fünftausender im Gebiet des Pandschirtals.

16 Nach einem viertägigen Marsch durch das Pandschirtal und das Wariadschtal hat die Karawane der Bergsteiger mit Pferden und Trägern das Standquartier auf 4630 Meter Meereshöhe erreicht.

17 Im geräumigen Koch- und Aufenthaltszelt des deutschen Teams von der Universität Kabul. Mit Zipfelmütze: Professor Wilhelm Krelle, der Initiant der Expedition. Links von ihm Azizullah Saré, der afghanische Dolmetscher.

18, 19 Genußvolle Granitkletterei auf mehr als fünftausend Meter Meereshöhe am «Hausberg». Der Blick geht auf zahlreiche kleine Seen.

20 Der knapp sechstausend Meter hohe Mir-Samir ist der höchste Gipfel im Gebiet des geschichtlich bedeutsamen Andschumanpasses. Er ist auf verschiedenen, teilweise sehr schwierigen Wegen bestiegen worden.

21 Unterwegs mit den Herden auf dem uralten Karawanenpfad, der durch das Pandschirtal nach Badachschan führt.

22, 23 Kamdesch, mit achthundert Häusern das größte Dorf im legendären Nuristan, nahe der pakistanischen Grenze. Der fruchtbare Boden wird geschont. Das Dorf ist als Terrassensiedlung im felsigen Gelände erbaut.

24 Eine Nuristanimutter wiegt ihr Kind im Schatten eines Maulbeerbaumes am Rand eines Maisfeldes. Die Monsunausläufer erreichen Nuristan und machen das Bergland zu einem fruchtbaren Landstrich.

25 Geschnitzte Balken einer Moschee in Kamdesch. Die abgelegenen Täler Nuristans bildeten bis zur Zwangsislamisierung 1896 eine heidnische Enklave in einer rein islamischen Umwelt.

26 Terrassenfelder bei Kamdesch in Nuristan. Mais, Hirse, Gerste und Roggen werden von den Frauen angebaut. Die Männer sind Viehzüchter und leidenschaftliche Jäger.

27 Abendliches Zusammensitzen auf einem Flachdach in Kamdesch. Stühle, in Afghanistan sonst unbekannt, sind ein altes Gebrauchsgut der Nuristani.

28 Die Gletscher des Hindukuschgebirges und die nicht seltenen Monsunniederschläge nähren den Kunarfluß.

29 Die Paschtunen, ein stolzer, kriegerischer Menschenschlag, sind mit rund sieben Millionen Menschen das stärkste ethnische Element Afghanistans.

30, 31 Kutschikarawane in der Gegend von Kandahar. Im Sommer weiden die Nomaden ihre Schafe und Kamele auf den Hindukuschalpen in Höhen bis zu viertausend Meter Meereshöhe, im Winter bevorzugen sie die schneefreien Zonen im Süden und Osten des Landes.

32 Eine Kutschifrau näht zwei selbstgewobene Tücher zu einer Zeltbahn zusammen. Die stets dunkeln Zelte der Nomaden sind aus Ziegenhaar gefertigt.
33 Nasrin, ein Kutschimädchen aus dem Stamme der Ahmad-Sai.

34, 35 Kutschilager in den Bergen von Badachschan. Nach der nächtlichen Wanderung ruhen sich die Nomaden im Schatten ihrer schwarzen Zelte aus.
36, 37 Nur Schafzucht ermöglicht eine landwirtschaftliche Nutzung der weiten Trockengebiete. Der Schafbestand wird auf zwanzig Millionen Stück geschätzt.

38, 39 Kala Saidan, ein Dorf in der fruchtbaren Provinz Laghman. Die Einheitlichkeit des Baumaterials – Lehmziegel – und ein unverdorbenes Gefühl für das Maß bewirken architektonische Schönheit.

40 Dreschplatz vor dem Dorf Kala Saidan. Die Reiskörner werden durch die ständig im Kreis gehenden Rinder ausgetreten.

41 Erntedankfest der Hazaras bei Schaidan, einem Dorf zwischen Bamian und Band-i-Amir im Hazaradschat. Auf den Eßtüchern das karge Mahl: getrocknete Maulbeeren und in Öl gebackene Brote.

42, 43 Höhepunkt des Festes ist ein Buzkaschi, der Kampf um den Kadaver einer Ziege. Seit König Zaher-Schah das turkmenische Kampfspiel zu seinem Geburtstag in Kabul spielen läßt, ist es zum Nationalspiel geworden.

44, 45 Verbundenheit von Pferd und Reiter! Der Sieger eines Rennens ohne Sattel stürmt durchs Ziel, verfolgt von den kritischen Blicken seiner Dorfgenossen.

46, 47 Am Fuße der Kuh-i-Baba-Kette, am Kreuzungspunkt alter Karawanenpfade, liegt Bamyan, das Tal der Buddhas. Die kahlen Bergzüge stehen im Gegensatz zu den grünen Bewässerungskulturen der Talebene.

48 Eingemeisselt in die Felswände des Bamyantals sind Hunderte von Höhlen. Es sind Teile eines buddhistischen Klosters aus den ersten Jahrhunderten nach Christi Geburt.

49 Hazara-Frauen weben auf ihren im Freien installierten Webstühlen Kelim. Die Webteppiche der Hazaras sind im Muster sehr einfach.

50, 51 Hazara-Familie bei den Seen von Band-i-Amir. Die Familie befindet sich auf der Rückreise vom Heiligtum des Hazrat-Ali, wo sie ihr Kleinkind im kalten, klaren Wasser des natürlichen Stausees gebadet hat.

52 Blick aus einer der vielen Felsenzellen des einstigen Buddhistenklosters auf das Tal von Bamyan und die Kuh-i-Baba-Kette.

53, 54, 55 Über Bamyan ragt 53 Meter hoch der größte Buddha der Welt. Die im fünften Jahrhundert in den Fels gehauene Gestalt hat sowohl der Zerstörungswut des Tschingis-Chan wie derjenigen der Mohammedaner getrotzt. Wenige hundert Meter östlich wacht in seiner Felsennische ein kleinerer, 35 Meter großer Buddha.

56 Ein Wasserwunder in der Wüste: die Seen von Band-i-Amir, gespeist vom Schnee der Kuh-i-Baba-Kette, Tummelplatz von Forellen.

57 Tora-Chadschi, Turkmene aus Jangalarak, hat einen guten Teil seines Lebens im Sattel zugebracht. Während zehn Jahren kämpfte er als Tschapanduz um Ruhm und Ehre.

58, 59 Handwerker und Krämer reiten in der Morgenfrühe zum Markt nach Aktscha.

60 Im Hofe des Haddschi-Mokim-Bay in Mazar-i-Scharif betreut ein Knecht die Buzkaschipferde. Die Haltung der teuren, schnellen Pferde ist für die Bays in Nordafghanistan eine Prestigeangelegenheit.

Das Bergland am Hindukusch

Carl Rathjens

Lage und Grenzen

Afghanistans geographische Lage und Naturgestalt sind in zweifacher Weise gekennzeichnet: durch die Lage im Trockengürtel der Alten Welt, der sich von der Sahara bis in die zentralasiatischen Wüsten verfolgen läßt, und durch den Anteil des Landes am großen europäisch-asiatischen Hochgebirgszug, der im westlichen afghanischen Hindukusch seine schmalste Stelle in ganz Asien besitzt und einen relativ leichten Übergang aus dem Tiefland Westturkestans nach Indien ermöglicht. So hat Afghanistan an verschiedenen Landschaftstypen teil, von der Wüste bis zum vergletscherten Hochgebirge. Vom nächsten Meer, dem Indischen Ozean, ist es durch eine Strecke von mehreren hundert Kilometern unwirtlichen Landes getrennt. Seine Flüsse münden in der Mehrzahl nicht ins offene Meer, sondern enden in den salzigen Seen abflußloser Wüstenbecken oder werden von Bewässerungsoasen aufgezehrt. Im Norden wird das Wasser, das aus dem Gebirge kommt, vom Amu-Darya dem Aralsee zugeführt, im Süden verlieren sich viele Flüsse im Becken von Seistan mit seinen flachen, häufig die Ausmaße wechselnden Endseen. Nur der Kabul mit seinen kräftigen, im Hindukusch entspringenden Nebenflüssen durchbricht am Rande Bergketten im Osten, erreicht den Indus und damit das Meer.
Entsprechend vielfältig verlaufen die Grenzen des Landes; sie folgen natürlichen Geländehindernissen oder führen durch unbewohnte Hochländer oder Wüsten; oft sind sie nur nach der Karte vereinbart und abgesteckt. Die Grenze gegen den Iran, mit dem das westliche Afghanistan viel Ähnlichkeiten hat, durchschneidet vorwiegend Wüstengebiet. Demgegenüber ist die Grenze zur Sowjetunion weit mannigfaltiger: Sie beginnt am Rande der Wüste Karakum, folgt dem Amu-Darya bis ins Gebirge und endet auf der Hochebene von Pamir, an der Afghanistan durch den langge-

streckten Zipfel des Wachan teilhat. Hier besitzt es auch in mehr als 4000 Metern Meereshöhe eine kurze gemeinsame Grenze mit China. Die Grenze gegen Westpakistan schließlich, das Afghanistan von der Meeresküste fernhält, wird vom Hauptkamm des Hindukusch, den verschiedenen Ketten des Suleiman-Gebirges und den Wüsten Belutschistans gebildet.

Das Relief

Obwohl Flachländer mit Wüstencharakter und Höhen unter 1000 Metern im Norden, Westen und Süden einen weiten Raum einnehmen, kann man Afghanistan doch ein Hochgebirgsland nennen. Gebirge und in sie eingelagerte Täler und Becken stellen nicht nur räumlich den Kern des Landes dar, sondern bieten auch dem überwiegenden Teil der Bevölkerung die zum Lebensunterhalt notwendigen wirtschaftlichen Voraussetzungen. Durch seine niedrigeren Temperaturen und höheren Niederschlagsmengen hebt sich das Gebirgsland deutlich aus dem Wüstengürtel heraus; besser als die trockenen Gebirgsvorländer eignet es sich bis in mittlere Höhenlagen für den landwirtschaftlichen Anbau sowie, zumindest im Sommer, für die Viehzucht. Der abschmelzende Winterschnee der höheren Lagen und die Gletscher einzelner Hochgebirgszüge sorgen dafür, daß die Bäche und Flüsse das ganze Jahr hindurch, oder wenigstens während der sommerlichen Vegetationsperiode, genügend Wasser führen und die Bewässerungsanlagen bis zu den Oasen in den Becken und am Gebirgsrande ausreichend mit Wasser gespeist werden.
Das markanteste Hochgebirge ist der Hindukusch. Als Wasserscheide zwischen den Flußsystemen des Indus und des Amu-Darya erreicht er Gipfelhöhen von über 7000 Metern; selbst an seiner schmalsten Stelle, nördlich des Beckens von Kabul, gibt es noch Höhen von über 5000 Metern. Auf einer Länge von rund 400 Kilometern findet sich kein Gebirgsübergang, der nicht die 4000-Meter-Grenze überschritte. Erst nach Westen hin nimmt die Paßhöhe allmählich ab. Lange Zeit hindurch war die Paßstraße über den Schibar [etwa 3000 m] der einzige Verbindungsweg zwischen der Hauptstadt Kabul und den wirtschaftlich bedeutsamen Nordprovinzen; in jüngster Zeit ist eine neue Straße mit einem Tunnel durch den Salang [3700 m] hinzugekommen. Der noch weithin unerschlossene Hindukusch ist in den letzten fünfzehn Jahren zu einem immer begehrteren Ziel europäischer und japanischer Bergsteiger geworden. Das schöne, absolut stabile Sommerwetter erleichtert die bergsteigerische Tätigkeit in den Höhen Afghanistans. Im Süden, jenseits des Beckens von Dschelalabad, erhebt sich der Safed-Kuh [4000 m] – im Norden, parallel zum Hauptkamm des Hindukusch, die fast 6000 Meter hohe Khwaja-Muhammad-Kette. Gegen Westen hin werden die Gebirge immer niedriger und fächern sich auf. Erwähnenswert sind noch die das Kabul-Becken beherrschende Paghman-Kette [4700 m], der Kuh-i-Baba [5100 m] und der Kuh-i-Hissar [4500 m]. Auch um das abflußlose vulkanische Becken der Dascht-i-Nawar erreichen die Berggipfel noch Höhen von mehr als 4000 Metern. Wenngleich man dort im allgemeinen keine steilen Hochgebirgsgrate mehr findet, ist doch ganz Zentralafghanistan, das Wohngebiet der mongolischen Hazaras, von der rauhen Höhenlage geprägt. Selbst die großen Städte und Oasen am Gebirgsrand im Norden, Süden und Westen werden von nahe gelegenen bedeutenden Bergen überragt. Hochlandcharakter mit weiten Ebenen, deren Gefälle mit bloßem Auge kaum zu erkennen ist und die im nördlichen Teil mehr als 2000 Meter über dem Meer liegen, weist vor allem das östliche Afghanistan zwischen Kabul und Kandahar auf.

Das Klima

Die Breitenlage im Trockengürtel, die Meeresferne und die ausgeprägte vertikale Gliederung machen Afghanistan zu einem Land großer klimatischer Gegensätzlichkeiten. Im Sommer steigen die Temperaturen bei starker Sonneneinstrahlung und geringer Bewölkung erheblich an, in den Tiefländern des Nordens und Südens im Monatsmittel des Juli auf über 30 Grad. Das westliche Afghanistan wird in dieser Jahreszeit zudem vom «Wind der 120 Tage» heimgesucht, einem regelmäßig wehenden heißen Nordwind, der die Temperaturen nahezu unerträglich macht. In Seistan und in der Umgebung von Herat gibt es spezielle Windmühlen mit stehender Achse, die ausschließlich auf diese Windrichtung eingestellt sind. Auch in den hochgelegenen Becken und Tälern, wie zum Beispiel in Kabul, erreichen die Mittagstemperaturen noch Werte von 30 Grad und mehr, werden aber durch eine merkbare Abkühlung bei Nacht, die der starken Ausstrahlung zu verdanken ist, auf angenehme Weise ausgeglichen. Im Gebirge selbst nehmen die Temperaturen rasch mit der Höhe ab, so daß an der oberen Siedlungs- und Anbaugrenze [bei etwa 3400 m] trotz der Erwärmung bei Tag kein Sommermonat ohne gelegentlichen Nacht- oder Bodenfrost vergeht. In den Hochsteppen ist die jährliche Frostwechselhäufigkeit – Bodenfrost bei Nacht, Tauwetter bei Tag – außerordentlich groß.
Die klimatischen Unterschiede zwischen den einzelnen Landesteilen treten vor allem im Winter zutage. Ausgesprochen kalte Winter finden wir nicht nur im Gebirge und seinen Beckenlandschaften, sondern auch im Tiefland des Amu-Darya, da dieses Gebiet allen Kaltlufteinbrüchen aus dem westasiatischen Raum ausgesetzt ist. Frostperioden sind hier die Regel, Schneelagen häufig. Im Süden und längs der östlichen Landesgrenze dagegen sind die Winter eher mild. In Kandahar, Chost und Seistan treten nur selten und bei bestimmten Wetterlagen Fröste auf, so daß hier auch empfindliche Kulturpflanzen wie Zitrusfrüchte und an geschützten Stellen sogar Dattelpalmen gedeihen können. Völlig frostfrei ist lediglich das Becken von Dschelalabad, was viele wohlhabende Einwohner von Kabul veranlaßt hat, dort ihre Winterresidenz aufzuschlagen; auch Blumen und Wintergemüse für die Hauptstadt werden hier angebaut. Man spricht in Afghanistan vom Garmsir, dem wintermilden, und vom Serdsir, dem winterkalten Land.
Auch die Niederschlagsmengen weisen, den verschiedenen Landschaftstypen entsprechend, erhebliche Schwankungen auf. Während im wüstenhaften Seistan die jährliche Niederschlagsmenge weniger als 100 Millimeter beträgt, erreicht sie im Hochgebirge, besonders am Hauptkamm des Hindukusch, wo zudem ein großer Teil der Niederschläge als Schnee fällt, Werte von weit über 1000 Millimetern. In den meisten Gegenden des Landes regnet oder schneit es im Winter oder zeitigen Frühjahr; nur auf der Nordseite des Hindukusch verschiebt sich die Regenzeit nach Osten zunehmend mehr bis in den Frühsommer. Sommer und Herbst dagegen sind, von vereinzelten kleinen Schauern abgesehen, im allgemeinen niederschlagsfrei und daher die wettersicherste Reisezeit. Das gilt auch für die Hochgebirgspässe, von denen viele im Winter durch gewaltige Schneemassen blockiert sind. Lediglich der äußerste Südosten des Landes macht eine Ausnahme, da er noch zum Einflußbereich des indischen Sommermonsuns gehört, der sich in der Regel bis in die Gegend von Kabul durch erhöhte Luftfeuchtigkeit und einzelne Gewitter bemerkbar macht. Diese warmfeuchte Luftströmung bringt den Bergen Nuristans und entlang der pakistanischen Grenze erhebliche Gewitterregen; zusammen mit der Monsunbewölkung als Schutz gegen die Sonneneinstrahlung bewirken sie, daß hier in einer Höhenstufe von etwa 1000 bis 3000 Metern ein hochstämmiger Wald als natürliche Vegetation gedeihen kann.

Durch das Zusammenspiel von Kälte und Schneefall entsteht im Hochgebirge oberhalb der Schneegrenze das Phänomen der Vergletscherung. Die klimatische Schneegrenze, die die mittlere Höhe der tiefsten Firnflecken angibt, liegt im eigentlichen Hindukusch meist über 5000 Metern, also viel höher als etwa in den Alpen, sinkt aber an den feuchteren Gebirgsrändern im Nordwesten und Südosten beträchtlich ab. Trotzdem ist das vergletscherte Areal im Hauptkammgebiet am ausgedehntesten. Zahlreiche Talgletscher sind mehr als 10 Kilometer lang; am höchsten Berg des Hindukusch, dem Tirich-Mir [7708 m] im pakistanischen Tschitral, ist der längste Gletscher mit 26 Kilometern gemessen worden. Die starke Sonneneinstrahlung im wolkenarmen Sommer und Herbst läßt auf den Firnfeldern die charakteristischen Zacken des Büßerschnees entstehen. Die gleiche klimatische Situation ist ferner dafür verantwortlich, daß im niedrigeren westlichen Hindukusch und im Kuh-i-Baba Firnfelder und Kargletscher fast ausschließlich auf die Nordseite der Bergketten beschränkt sind, während die Südseiten durch frostbedingtes Bodenfließen zu Glatthängen geformt werden.
Auch die Wasserführung der Flüsse wird von den klimatischen Verhältnissen entscheidend beeinflußt, was sich in vielen Gegenden, in denen die Flüsse noch nicht fest überbrückt sind, unmittelbar auf die Wirtschaft und den Verkehr auswirkt. In weiten Teilen Afghanistans sind Spätwinter und Frühjahr Zeiten des Hochwassers, in denen kluge Reisende einst zu Hause blieben, um nicht tagelange Wartezeiten an einzelnen Flußübergängen in Kauf nehmen zu müssen. Als man in den zwanziger Jahren das Land erstmals zu modernisieren begann, wurden vielerorts auch steinerne Brücken gebaut, die den extremen Hochwassern aber nicht gewachsen waren und heute nur noch als Ruinen dastehen. In vielen Bewässerungsgebieten müssen die Wehre, Dämme und Kanäle in jedem Frühjahr mühsam wiederhergestellt werden, ehe man mit dem Anbau der Feldfrüchte beginnen kann. Die Flüsse, die aus dem vergletscherten Hindukusch kommen – im Norden der Koktscha, im Süden der Pandschir und der Kunar mit ihren Nebenflüssen –, erreichen ihren höchsten Pegelstand erst mit der Gletscherschmelze im Hochsommer, wenn die anderen Gebirgsflüsse längst geschrumpft und von der Bewässerung verbraucht oder gar ausgetrocknet sind, wie es auf weiten Flächen der ostafghanischen Plateaus oder der breiten Täler am südlichen Gebirgsrand der Fall ist. Dort ist die Feldbewässerung dann ganz auf die Nutzung des Grundwassers angewiesen, das in langen Stollensystemen [Karez] an die Erdoberfläche geleitet wird. Im Wüstenbecken von Südafghanistan führt nur der Hilmend das ganze Jahr über Wasser.
Die Bewohner Afghanistans haben schon frühzeitig erkannt, daß die Wasserführung der Flüsse, die gerade während eines großen Teils der Vegetationsperiode der Kulturpflanzen ungünstig ist, durch die Anlage von Staudämmen ausgeglichen und in die Trockenperioden hinein verlängert werden kann. Damit war die Möglichkeit gegeben, die Feldbewässerung zu verbessern und das kultivierbare Areal auszudehnen. An den Rändern der Hochebene von Ghazni wurden schon im Mittelalter mehrere große Staumauern errichtet, die allerdings später wieder verfielen. Dank der technischen Entwicklung in unserem Jahrhundert hat sich der Staudammbau inzwischen auf viele andere Landesteile ausgedehnt, wo er aber nicht mehr ausschließlich der Feldbewässerung dient, sondern auch der Wasserkraftgewinnung. Das ist besonders im Umkreis von Kabul der Fall. Staudämme sind daher auch zu einem wichtigen Faktor der Entwicklungshilfe geworden. Wegen der starken Sedimentführung der Flüsse, eine Folge der schwankenden Wasserführung und der lückenhaften Vegetationsdecke, werden die künstlichen Stauseen allerdings immer wieder rasch mit Feinmaterial aufgefüllt und verlieren dadurch an Fassungsvermögen.

Gesteine, Oberflächenformen, Böden

Die Hochgebirge Afghanistans bestehen aus intensiv gefalteten paläozoischen Gesteinen, die zu Schiefer, Gneis, Quarzit und Marmor metamorphosiert und in die einzelne große Granitintrusionen eingelagert sind. Im Laufe der Gebirgsbildung ist es zu ausgedehnten Vererzungen gekommen, wie die großen Lagerstätten von Eisen- und Chromerzen beweisen. Ihre Fundorte sind zwar bekannt, aber wegen der schwierigen Verkehrs- und Transportverhältnisse bisher nicht ausgebeutet worden. Der Koktscha in Nordafghanistan führt Waschgold, während das Andschuman-Tal im Hindukusch durch seine hochwertigen Lapislazuli bekannt geworden ist. Es ist das einzige große Lapislazuli-Vorkommen der Welt und wird wahrscheinlich schon seit dem Altertum ausgebeutet. Im Norden sind dem Hindukusch mächtige Serien jüngerer Sedimentgesteine, namentlich des Mesozoikums, vorgelagert – teils in der flachen Form gewaltiger Schichtstufen und Tafelberge, wie der sogenannten Götterburg bei Doab, teils in regelmäßigem Faltenbau, in dem sich die Bergketten weitgehend mit geologischen Sätteln, die Täler mit Mulden decken. Wirtschaftlich bedeutsam sind in diesen Gesteinsfolgen die jurassischen Steinkohlen, die an verschiedenen Stellen abgebaut und auf Lastautos der Industrie des Landes zugeführt werden; in Kabul dienen sie als Hausbrand. Auch das Steinsalz von Taloqan, das noch heute – wie seit alters – in großen Blöcken gebrochen, auf Eseln durch das ganze Land transportiert und als Handelsware feilgeboten wird, ist ein wichtiges Naturprodukt. Als wirtschaftlich wertvoll haben sich in jüngster Zeit die Erdöl- und Erdgasvorkommen im Nordwesten des Landes erwiesen. Dank der Hilfe sowjetischer Experten ist es gelungen, diese Bodenschätze zu erschließen. Heute besteht bereits eine Erdgasleitung zur sowjetischen Grenze, so daß Erdgas ein wichtiger Exportfaktor zu werden beginnt.

Zentralafghanistan und der Südwesten sind ein eintöniges Bergland aus nur teilweise unter Druck geschieferten paläozoischen und mesozoischen Gesteinsserien, unter Einschaltung von vulkanischen Ergußgesteinen. Wichtige Lagerstätten sind hier offensichtlich noch nicht bekannt, mit Ausnahme der Goldgänge, die in der Gegend von Kandahar und Mukur im Kontakt von jungen Granitstöcken entdeckt wurden. Beim Kessel der Dascht-i-Nawar, der von mächtigen Tuffen umgeben ist, scheint es sich um den Rest eines riesigen vulkanischen Kraters zu handeln. Der Südosten des Landes gehört zum Flyschtrog von Quetta und umfaßt eine ungeheure, aber gleichförmige Serie von alttertiären Kalken und Sandsteinen in Wechsellagerung mit Ophiolithen. Im westpakistanischen Teil dieses Gebietes ist man auf Erdgas gestoßen, was auch auf der afghanischen Seite einige Hoffnungen erweckt hat. Die Ebenen im Norden und Süden sind von jungen Sedimenten überschüttet, durch die nur an wenigen Stellen Restberge älteren Gesteins hindurchragen.

Seit dem mittleren Tertiär haben sich die Gebirge in recht verwickelten Vorgängen allmählich zu ihrer heutigen Höhe herausgehoben. In Zentralafghanistan gibt es ausgedehnte Flachformen der Höhe als Überreste eines tertiären Altreliefs, das unter wesentlich feuchteren Klimabedingungen entstanden sein dürfte als sie heute herrschen; zahllose Reste tropischer Böden von lebhaft roter Farbe weisen darauf hin. Die Hebung des Gebirges muß sich in einem Großfaltenwurf vollzogen haben, der mehrere Längstalzüge zurückbleiben und sich mit jungtertiären Schuttmassen füllen ließ. Spuren einer oft Hunderte von Metern hohen Verschüttung sind allenthalben zu erkennen. Das heutige Gewässernetz ist wahrscheinlich erst auf einer posttertiären Landoberfläche entstanden und hat bei der Wiederausräumung und Aufdeckung des alten Reliefs zu der für Afghanistan so bezeichnenden Folge von weiten Bekken und engen, durch alte Anlage vorgezeichneten

Schluchten geführt. Diese Tatsache hat die Entwicklung des afghanischen Verkehrsnetzes am stärksten beeinflußt, da die Talschluchten vielfach ungangbar und die Wege deshalb über viele Zwischenpässe von einem Becken zum anderen geführt sind. Mindestens seit dem jüngeren Tertiär liegt Afghanistan im Trockengürtel der Roßbreiten, wie die jungtertiären Schuttmassen beweisen. Die damit verbundenen klimatischen Bedingungen haben seither auch die Oberflächenformung des Landes größtenteils bestimmt. In den tiefen und mittleren Lagen werden die Bergketten von schrägen Rampen gesäumt, die abwärts in die mächtigen Verschüttungen der Becken und Talböden übergehen. Die Schuttfächer sind häufig von Löß- oder Lehmdecken überzogen. In den Wüsten des Nordens und Südens treten Dünenfelder aus Sicheldünen [Barchane], ebene Lehm- und Schotterflächen [Dascht] sowie Salzpfannen und Salztonflächen [Kewir] nebeneinander auf. Die Oberflächengestaltung des Hochgebirges ist demgegenüber auf die Einwirkungen von Frost, Schnee und Eis zurückzuführen, wobei man allerdings beachten muß, daß die klimatische Schneegrenze in den Kaltzeiten des quartären Eiszeitalters rund 1000 Meter tiefer lag als heute. Daher finden wir neben den jetzigen Erscheinungen der Hochgebirgsvergletscherung eine Fülle von Zeugnissen ehemaliger, tiefer herabreichender Talgletscher. Kare mit kleinen rundlichen Gebirgsseen und langgestreckte Moränenwälle früherer Gletscher sind im Hindukusch keine Seltenheit; sie fallen schon in der Paghman-Kette bei Kabul oder während einer Fahrt über den Salang-Paß auf. Viele Täler zeigen Schotterterrassen und ganze Terrassentreppen als Zeugen eiszeitlicher Schmelzwasserfluten. Auch die Stufe der regelmäßigen Frostwirkung muß ursprünglich weiter nach unten gereicht haben, wie sich aus Frostschuttmassen und glattgescheuerten Hängen erkennen läßt.

Die Oberflächengestaltung des Gebirges ist aber keineswegs abgeschlossen, sondern geht augenscheinlich weiter. Jeder starke Regenguß der sommerlichen Gewitter kann eine Straße überfluten oder unterspülen, eine Mure mit kubikmetergroßen Blöcken abgehen lassen, von der ganze Felder, Gärten und Siedlungen bedroht und verschüttet werden können. Da Afghanistan ein junges Hochgebirgsland mit starker tektonischer Labilität ist, wird es auch besonders häufig von Erdbeben betroffen. Es gibt kaum eine Siedlung, die nicht in den letzten Jahrzehnten einmal schwere Schäden erlitten hätte, wobei die hohe Zahl der Todesopfer vor allem dem für das Land typischen Lehmbau der Häuser zuzuschreiben ist. Eines der letzten großen Beben, das vom Jahre 1956, hat im Hindukusch Bergstürze ausgelöst und einen See aufgestaut. Für die Jugendlichkeit des Gebirges sprechen außerdem die vielen warmen Quellen und Säuerlinge, die in Zentralafghanistan in besonders großer Zahl vorkommen. Oft haben sie farbige Sinterkuppen, Sinterterrassen, Kaskaden und lange Sinterdämme aufgebaut, sogenannte «Drachen», deren Kopf das heiße Quellwasser entspringt. Einige dieser Quellen werden von der Bevölkerung zwar als Heilbäder aufgesucht, aber eine Nutzung für den Fremdenverkehr oder für industrielle Zwecke gibt es bisher nicht. In diesem Zusammenhang sind noch die berühmten Seen von Band-i-Amir zu erwähnen, die entlang einer tektonischen Einbruchlinie durch eine ganze Folge von Kalksinterbarrieren aufgestaut worden sind. In einer bizarren Bergwelt Zentralafghanistans gelegen, gehören sie zu den eigenartigsten Naturwundern, die das Land zu bieten hat.

Über die Böden Afghanistans ist bis heute nur wenig bekannt. Häufig befinden sie sich auch nicht mehr in ihrer ursprünglichen Lage, sondern sind von den Hängen abgespült, auf den Talböden im terrassierten Feldbau festgehalten und dort durch ständige Bewässerung verändert worden. Am weitesten verbreitet sind die grauen und braunen Böden des Trockenklimas; lediglich im östlichen Teil des Landes gibt es auch Waldböden mit dunkler Humusauflage. Die starke sommerliche Verdunstung läßt weithin Krustenböden mit Anreicherungen von Salz, Gips oder Kalk entstehen, die wirtschaftlich wertlos sind oder erst mit großem technischem Aufwand durch Drainage fruchtbar gemacht werden können. Einstweilen werden Kalkkrusten nur von den Bauern gebrochen, um das durch Bewässerung ausgelaugte Land mit ihnen zu düngen. Hohe natürliche Fruchtbarkeit besitzen vor allem die Lößböden im Norden, sofern sie genügend beregnet sind oder genügend Wasser zugeführt bekommen. Hier werden große Erträge von Weizen, Baumwolle, Zuckerrüben und Melonen erzielt.

Vegetation und Tierwelt

Aus der Darstellung der Klimaverhältnisse lassen sich auch die wichtigsten Grundzüge der Pflanzen- und Tierwelt Afghanistans ableiten. Eigentlichen Waldwuchs finden wir nur in den feuchteren Gebirgsgegenden des Ostens, die vom indischen Monsun beeinflußt werden. Die hier vorkommenden Wälder haben große Ähnlichkeit mit denen im nordwestlichen Himalaja und erstrecken sich über weite Teile von Nuristan und der Provinz Paktya. Der vorherrschende Waldbaum ist die Himalaja-Zeder; neben ihr sind in feuchteren Lagen auch Tannen und Fichten verbreitet und an trokkeneren Standorten Kiefern. Im unzugänglichen Nuristan stößt man sogar noch auf große, fast unberührte Urwälder. Ob dieser für das Land so wichtige Waldwuchs auch weiterhin Bestand hat, scheint allerdings immer fragwürdiger zu werden. In den Bergen rings um den Safed-Kuh und in Paktya sind die Wälder durch den raubbauartigen Einschlag und den Holzhandel der dort siedelnden Paschtunenstämme bereits erheblich reduziert worden. Der moderne Straßenbau und der ständig wachsende Holzbedarf in den Städten haben ihrerseits dazu beigetragen, die einmal begonnene Verwüstung zu beschleunigen. Da man Aufforstungen noch nicht kennt und der natürliche Jungwuchs immer wieder dem weidenden Vieh, besonders den Ziegen der Nomaden, zum Opfer fällt, dürfte es nur noch wenige Jahrzehnte dauern, bis die stolzen Zedernwälder in diesem Teil des Landes völlig verschwunden sind.

Nach Westen und Süden hin werden die klimatischen Bedingungen für den Waldwuchs zunehmend ungünstiger, so daß die Waldstufe allmählich in lichte Gehölzfluren von Baumwacholdern übergeht. In tieferen Lagen besteht der Wald vorwiegend aus immergrünen Eichen, die uns aber nur noch selten als hochstämmige Waldbäume begegnen, da auch sie meist durch das Weiden von Ziegen und die Brennholznutzung mehr oder weniger zu einem niederen lockeren Gebüsch degradiert sind. Gegen die tieferen Becken und Vorländer im Osten hin wird der Wald nach und nach von der Akazien-Dornbusch-Steppe abgelöst, die auch in Westpakistan verbreitet ist. Charakteristisch für die untere Waldgrenze in Chost sind wilde Ölbäume, die man mit Reisern des echten Ölbaums aus dem Mittelmeergebiet hat veredeln können, und Zwergpalmen, deren Blätter für die Herstellung von Matten und Körben verwendet wurden. Der Boden des Beckens von Dschelalabad schließlich hat ausgesprochenen Wüstencharakter.

Auch in der Tierwelt Ostafghanistans machen sich, ähnlich wie in der Pflanzenwelt, gewisse indische Einflüsse bemerkbar. Unter den Säugetieren sind vor allem die Leoparden zu nennen, ferner Bären und Affen, von deren Vorkommen man erst seit kurzer Zeit weiß. Der indische Wasserbüffel dient den einheimischen Bauern als Zug- und Milchtier. In der reichen Vogelwelt der ostafghanischen Wälder fällt vor allem ein grüner Papagei auf, der zur Familie der Sittiche ge-

hört. Bienenfresser und Glanzstare kommen als sommerliche Zugvögel aus dem Tiefland herauf und sind selbst noch in den Gärten von Kabul anzutreffen.
Der weitaus größte Teil Afghanistans besteht jedoch aus Steppen und Hochsteppen, die sich aus Gräsern und Kräutern zusammensetzen. Im Frühjahr und zu Beginn des Sommers, wenn die letzten Regen gefallen sind oder die Schneeschmelze versiegt, überziehen sich die Steppen mit einem bunten Blütenteppich von Zwiebel- und Knollengewächsen, insbesondere wilden Tulpen und Liliazeen. Je weiter aber der heiße, trockene Sommer fortschreitet, desto mehr nehmen sie eine gleichförmig braune Farbe an. Früher waren die Bergländer bis zu einer Höhe von über 3000 Metern auch mit lichten Baumfluren von wilden Mandeln, Pistazien, wilden Birnbäumen und Wacholdern überzogen; inzwischen sind aber auch sie bis auf kleine Reste längst dem Brennholzbedarf zum Opfer gefallen. Relativ stattliche Wacholdergehölze finden sich noch auf der Nordseite des Salang-Passes und in den Bergen nördlich von Herat. Auch die echte Pistazie, deren Früchte geerntet und gegessen werden, ist in den nördlichen Landesteilen zu Hause, während es sich bei den Pistazien des Südens um eine andere Art handelt, den Khinjuk. In den feuchteren Übergangsgebieten, in Badachschan und im Umkreis der Ebene von Kabul, gedeiht sogar der Judasbaum, dessen violett-rote Blüte zu den anziehendsten Erscheinungen des Frühjahrs gehört. Überweidung und wandernder Regenfeldbau haben dazu beigetragen, daß in den Steppen weithin reine Artemisienbestände vorherrschen. In den Tiefländern des Nordens und Südens gehen die Steppen allmählich in Wüsten über, deren höchst lückenhafte Vegetation durch Kameldorn oder Saxaul gekennzeichnet sein kann.
Im Hochgebirge sind die Steppen und Matten noch von einer reichen Tierwelt belebt. Steinböcke, Wildschafe und Schraubenziegen sind eine beliebte Beute auch der einheimischen Jäger mit ihren altertümlichen Flinten. Der Schneeleopard oder Irbis, der König der afghanischen Wildtierwelt, ist so gut wie ausgestorben; nur hier und da wird noch sein Fell in einem der Bazare zum Verkauf angeboten. In den entlegensten Hochtälern des Wachan lebt das riesige Marco-Polo-Schaf, das größte aller Wildschafe. Auch sein Bestand ist so weit reduziert worden, daß es nur noch in kleinen Herden vorkommt. Im gleichen Gebiet ist ferner der halbwilde Yak zu Hause, den die Kirgisen als Zuchttier halten. Wölfe, Füchse und Schakale sind trotz der oft rücksichtslosen Jagdmethoden weniger stark zurückgegangen: Mit etwas Glück kann man sie überall erspähen. Auch das Stachelschwein gehört zur Wildtierwelt der Steppen, in denen es als ausgesprochenes Nachttier lebt. Unter den vielen Geiern, die eine Rolle als Gesundheitspolizei spielen, zeichnet sich der Lämmergeier durch sein majestätisches Flugbild aus; selbst ihm begegnet man im Hochgebirge nicht selten. Die in den Steppen heimische Vogelwelt wird durch zahlreiche Hühnervögel [Steinhuhn, Wachtel, Fasan], durch Falken, die auch zur Jagd abgerichtet werden, durch die verschiedensten Taubenarten und den überaus häufigen Wiedehopf vertreten. Die Gazelle kommt nur in den tiefer liegenden Steppengebieten vor, aber lediglich in kleinen Rudeln; denn seit die Jagd auf sie vom Auto aus betrieben werden kann, ist ihr Leben gefährdet. Auch die Hyäne hat ihr spezielles Jagdgebiet: Nur im warmen Trockenklima des Südens und Ostens sucht sie ihre Beute. Der wilde Halbesel oder Onager, der in den Wüstensteppen Seistans heimisch war, ist erst in unserem Jahrhundert ausgestorben. Dasselbe gilt für den zentralasiatischen Tiger, der noch vor wenigen Jahrzehnten die Sumpfwälder am Amu-Darya durchstreifte und vorwiegend von der Jagd auf Hirsche lebte. Die Zugvögel, von denen weiter oben schon die Rede war, sind ebenfalls auf ihren weiten Wanderungen zwischen Westsibirien und Indien einer zunehmenden Bedrohung durch den Men-

schen ausgesetzt. Im Frühjahr und Herbst ziehen große Scharen von Kranichen, Störchen, Reihern, Gänsen und Enten über Afghanistan hinweg. Ein Teil der Wasservögel überwintert auch an den Ufern des salzigen Ab-i-Istada in Ostafghanistan, der umgekehrt im Sommer von Flamingos, die ihre Winterquartiere im Indus-Delta in Westpakistan haben, zum Brüten aufgesucht wird. Nach alten Berichten waren die Ufer des Ab-i-Istada früher von vielen Tausenden von Flamingos rosa gefärbt, während heute nur noch wenige Hundert am See brüten; die übrigen sind der Jagd geopfert worden. Auch die anderen Zugvögel sind vor Nachstellungen nicht sicher. Im Frühjahr und Herbst lauern ihnen die Jäger an den Eingängen der Hindukusch-Täler auf, oder sie versuchen, die Tiere mit Lockvögeln zum Einfallen auf kleine künstliche Teiche zu bewegen, wo man besser auf sie schießen kann.
Die giftige Kobra, auch als indische Brillenschlange bekannt, kommt nur in den winterwarmen Gebieten vor. Skorpione und eine Menge anderer Insekten sind im ganzen Land anzutreffen. In den Gebirgsbächen auf der Nordseite des Hindukusch und in den klaren Seen von Band-i-Amir leben zahlreiche Forellen.

Die Bevölkerung

Afghanistan ist ein Vielvölkerstaat, in dem die eigentlichen Afghanen, die Paschtu sprechenden Paschtunen oder Pathanen, wie sie im alten Indien und heutigen Westpakistan genannt werden, lediglich die zahlenmäßig und politisch stärkste Gruppe darstellen.
Wenngleich die Lebens- und Wirtschaftsweise der verschiedenen Volksgruppen stark von ihrer ethnischen Zugehörigkeit bestimmt wird, gibt es doch Gemeinsamkeiten, die sich aus der Natur des Landes herleiten und mehr oder weniger ausgeprägt für alle Bevölkerungsgruppen gelten.

Im Vergleich mit europäischen Ländern ist Afghanistan ausgesprochen dünn besiedelt. Diese Feststellung überrascht kaum, wenn man bedenkt, daß das Land zum großen Teil aus Hochgebirge, Wüsten und Steppen besteht, die trotz der Bewässerung der Felder nur zu einem relativ geringen Prozentsatz ackerbaulich nutzbar sind. Hinzu kommt, daß die Möglichkeiten der Landwirtschaft, die der Masse der Bevölkerung den Lebensunterhalt gewährt, bei der gegebenen technischen Ausstattung bis zum äußersten genutzt sind.
Im Hochgebirge reichen bäuerliche Siedlungen mit Getreidebau an vielen Stellen bis über 3000 Meter empor. Matten und Hochsteppen werden im Sommer bis über die 4000-Meter-Grenze hinaus von Haustieren beweidet, wo immer das Gebirgsrelief es zuläßt. In einzelnen Bewässerungsoasen dagegen müssen sich Bauern und Pächter mit sehr kleinen Betrieben und Feldflächen begnügen, so daß die Bevölkerungsdichte hier außerordentlich groß ist [bis zu 1000 Menschen pro Quadratkilometer]. Die Verteilung der Bevölkerung und ihrer Siedlungen über das Land ist also sehr ungleichmäßig. Die Kabul-Ebene und die Oase von Herat, der nördliche Gebirgsrand zwischen Kunduz und Mazar-i-Scharif sowie die Oasen im Süden, vor allem Kandahar, stellen Ballungszentren der Bevölkerung dar. Auch die Waldgebiete im Osten mit ihrem größeren Wasserreichtum sind relativ dicht besiedelt, während die Wüstensteppen im Süden und Westen nur wenigen Bewohnern ausreichenden Lebensunterhalt bieten.
Die Gesamtbevölkerungszahl Afghanistans dürfte heute etwa 13 bis 15 Millionen betragen; zuverlässige Daten liegen bisher nicht vor. Während das Land lange Zeit als ausgesprochen menschenarm galt, läßt sich seit einigen Jahrzehnten ein starkes Wachstum der Bevölkerung beobachten, das in den vom staatlichen Gesundheitswesen erfaßten Gebieten jährlich 2 bis 3 Prozent beträgt. Mit dieser Quote dürfte Afghanistan an

die höchsten Wachstumsraten heranreichen, die wir von Entwicklungsländern kennen. Ursache dieser Bevölkerungsexplosion in den Hauptzentren des Landes – zweifellos gibt es auch entlegene Gebiete, in denen das Bevölkerungswachstum stagniert – sind in erster Linie Seuchenbekämpfung und verbreitete ärztliche Fürsorge. Parallel mit dem Kampf um das tägliche Brot, der heute dank der Getreidelieferungen aus Amerika und der Sowjetunion an Schärfe verloren hat, ging früher eine harte Herausforderung des menschlichen Lebens durch Krankheiten, denen man hilflos ausgeliefert war. Man denke beispielsweise an die Cholera, die auch jetzt noch während der Sommermonate von Zeit zu Zeit aus der heißen Indusebene eingeschleppt wird; oder an die Malaria, die in allen tiefer gelegenen Bewässerungsgebieten – besonders in den Reisbaugebieten – auftritt. Auch die Pocken, die in den dichtbesiedelten Dörfern und Städten nur allzuschnell übertragen werden, und andere parasitäre Krankheiten, deren Verbreitung auf mangelnde Hygiene, unsauberes Trinkwasser und eine Durchseuchung der Haustierbestände zurückzuführen ist, gehören zu diesen Herausforderungen. Es wäre also falsch, jenem Schein unangreifbarer Gesundheit zu glauben, den Menschen leicht erwecken, die noch in einfachen Verhältnissen und enger Verbundenheit mit der Natur leben.

Grundzüge der Landnutzung

Man schätzt, daß noch heute rund 85 Prozent der Bevölkerung von Ackerbau und Viehzucht leben. Nur ein kleiner Teil der Landesbewohner ist also städtisch und ein noch kleinerer Teil in der Industrie beschäftigt, die erst wenige Standorte im Raum von Kabul und in Nordafghanistan besitzt. Die Art der Landnutzung ist durch die klimatischen Verhältnisse gegeben. Grundlage der Volksernährung sind Brotgetreide, vor allem Weizen und Gerste, die auch im unbewässerten Trokkenfeld angebaut werden können. Diese Art Anbau, die man als Lalmi bezeichnet, ist besonders auf den fruchtbaren Lößböden des Nordens verbreitet, mit geringeren Erträgen auch in den Hochlagen Zentralafghanistans. Neben Weizen und Gerste sind Mais und eine Reihe von Hülsenfrüchten wichtige Faktoren der Volksernährung. Der Anbau von Hirse ist im Vergleich zu früher merkbar zurückgegangen und hat nur noch in Nuristan Bedeutung, während sich der Kartoffelanbau erst allmählich durchzusetzen beginnt. Reis gehört seit langem zu den unentbehrlichen Nahrungsmitteln des Landes und wird dementsprechend häufig angebaut, im Gebirge sogar bis zu Höhen von mehr als 2000 Metern. In einzelnen Oasen am Gebirgsrand findet man ausschließlich Reiskulturen, während in den tieferen Beckenlagen und außerhalb des Gebirges, wo eine doppelte Ernte möglich ist, im Sommer Reis und im Winter eine andere Feldfrucht, zum Beispiel Weizen, angebaut wird.

Eine wertvolle Ergänzung für die Ernährung – wie übrigens auch für den Export – bildet der Obstbau, der weit in die Hochgebirgstäler hineinreicht. Selbst in den oberen Regionen trifft man auf Aprikosen-, Maulbeer- und Walnußhaine. Die Weinrebe, die bis zu Höhen von 2300 Metern gedeiht, wird im trocken-heißen Süden bewässert und in Nuristan an Bäumen gezogen. Besonders bekannt sind die afghanischen Trauben. In manchen Gegenden, wie zum Beispiel in der nördlichen Kabul-Ebene oder in der Oase von Kandahar, werden sie monokulturartig gezogen, zu Rosinen verarbeitet oder neuerdings auch als Frischtrauben bis in die großen Städte Westpakistans und Nordindiens verkauft. In den Obsthainen der tieferen Lagen begegnen wir allen Obstsorten der gemäßigten Breiten, ferner Mandel- und Granatapfelbäumen, die vor allem im Gebiet von Kandahar angepflanzt werden. Zitrusfrüchte gedeihen nur im Bereich des Garmsir, dem ständig warmen Land. Während früher die Oase von Kandahar als bevorzugtes Anbaugebiet für Zitrusfrüchte galt, speziell für Orangen, sind in neuerer Zeit mit sowjetischer Hilfe auch im Becken von Dschelalabad ausgedehnte Zitrusplantagen entstanden. Auch Zuckerrohr und Bananen werden hier angepflanzt, dazu Dattelpalmen, die allerdings kein Ersatz für die verkümmerten Dattelpalmenkulturen in Seistan sind. Nordafghanistan ist bekannt für seine Melonen, die in großen Mengen auf den Markt gebracht werden. In den jungen Kolonisationsgebieten dieser Region ist man in den letzten Jahrzehnten größtenteils dazu übergegangen, den Anbau von exportgünstigen Kulturpflanzen – Zuckerrüben, Baumwolle und neuerdings auch Tabak – erheblich zu intensivieren, wenngleich Afghanistan noch keine eigene Tabakindustrie hat.

Als überwiegend waldarmes Steppenland eignet sich Afghanistan besonders für die Viehzucht. Weite Gebiete des Landes sind infolge von Wassermangel nur als extensives Weideland nutzbar, wobei im Sommer die Hochsteppen und Matten des Gebirges bevorzugt werden, im Winter dagegen die Steppen und Wüstensteppen der Gebirgsränder, die sich nach den ersten Winterregen rasch begrünen. Das wichtigste Haustier ist daher das anspruchslose Schaf. Unter den verschiedenen Lokalarten und -rassen steht das Fettschwanzschaf an erster Stelle, da es nicht nur Wolle und Fleisch, sondern auch Fett liefert. Besonders in Nordafghanistan wird das Karakulschaf gehalten, und die wertvollen Felle der Jungtiere zählen noch immer zu den Hauptausfuhrgütern Afghanistans. Auch Ziegen und Rinder sind ein wichtiger Faktor der afghanischen Viehwirtschaft. Die Rinderhaltung ist im Grunde überall verbreitet, sie hat jedoch wegen der meist schwierigen Futterverhältnisse und unzureichender Zuchtwahl nur einen relativ niedrigen Stand. Bei der Arbeit vor dem Pflug werden ausschließlich Ochsen gebraucht, während in den Reisbaugebieten Ostafghanistans der indische Wasserbüffel als Arbeitstier dient, daneben aber auch die einheimische Bevölkerung mit fettreicher Milch versorgt. Die Kirgisen im Wachan-Zipfel in Nordafghanistan treiben ebenfalls Viehzucht, die sich vor allem auf den bereits erwähnten halbzahmen Yak konzentriert.

Als Reit- und Tragtiere werden in Afghanistan fast ausschließlich Pferde, Esel und Kamele verwandt. Am häufigsten sind die genügsamen Esel. Sowohl in den Städten wie auf dem Land, wo man bis vor kurzem kein Räderfahrzeug kannte, dienen sie zum Transport von Lasten auf kurzen Strecken und sind beim Häuser- und Straßenbau ebenso unentbehrlich wie im Wanderhandel und beim Einbringen der Ernte. Außerdem sind sie das Reittier des kleinen Mannes und gehören meist sogar zum Besitz der Ärmsten. Pferdezucht ist besonders bei den Usbeken und Turkmenen Nordafghanistans heimisch, im übrigen Land dagegen selten. Die hervorragenden hochrassigen Turkmenenpferde, die der Stolz jedes größeren Grundbesitzers sind, wurden früher in großen Mengen durch afghanische Pferdehändler bis weit nach Indien an die Fürstenhöfe und an die britische Armee verkauft. Da die Händler oft aus Kabul stammten, bürgerte sich der Name Kabulipferde ein, obwohl die Tiere immer aus den Steppenländern jenseits des Hindukusch kamen. Die Kamele schließlich, meist Dromedare – nur im Nordosten findet man noch zweihöckrige Kamele –, gehören zum wichtigsten und wertvollsten Besitz der Vollnomaden und waren bis vor wenigen Jahrzehnten die alleinigen Träger des Karawanenverkehrs. Mit dem Aufkommen des Automobils ist ihre Zahl zwar zurückgegangen, doch haben sie noch immer einen beträchtlichen Anteil am Verkehrs- und Transportvolumen über größere Entfernungen. Das gilt nicht nur für die unerschlossenen Gebirgstäler, sondern auch für die Wüstenstrekken, die noch nicht vom Straßenbau erfaßt sind. Der intensive Warenschmuggel an der iranischen und pakistanischen Grenze wäre ebenfalls ohne Kamele kaum denkbar. In Ostafghanistan sind sogar viele seßhafte Bauern aufgrund des blühenden Holzhandels dazu übergegangen, Kamele zu halten, was immer noch eine relativ hohe Kapitalinvestition bedeutet. Im Gegensatz dazu ist die Kleintierzucht in Afghanistan kaum verbreitet, obwohl sich gerade auf diesem Sektor angesichts der vielen Kleinbetriebe und mancher nicht ausgenutzter Futterquellen große wirtschaftliche Möglichkeiten bieten.

Eine rasche Modernisierung der afghanischen Landwirtschaft stößt wegen der gegebenen Betriebs- und Sozialstruktur, die noch weitgehend der des alten Orients entspricht, auf erhebliche Schwierigkeiten. Nur ein geringer Prozentsatz der Bauern, besonders in den gebirgigen Regionen, wirtschaftet auf eigener Scholle mit ausreichenden Betriebsgrößen. Der überwiegende Teil des Landes, vor allem in den Bewässerungsoasen, befindet sich in der Hand von Grundbesitzern, die den Boden durch Pächter oder Landarbeiter bestellen lassen. Dieses Grundeigentum stammt aus den verschiedensten Quellen: Schenkungen des Königshauses an Würdenträger und hohe Beamte, Übereignungen von Stammesland an Stammesführer und deren Familien, Kapitalanlage der Städter, namentlich der großen Bazarhändler, in wertbeständigen Grundbesitz, Zwangsverschuldung der Bauern an ursprünglich nomadische Händler, um nur die wichtigsten zu nennen. Ursache dieses Strebens nach Bodenbesitz ist bis in die jüngste Zeit hinein das Fehlen anderer Anlage-und Gewinnmöglichkeiten [Bank- und Sparkassenguthaben, Aktien, Industriebeteiligungen usw.]. Nach islamischem Recht werden Bodenbesitz, Wasserrecht, Stellung von Gespann und Saatgut hoch bewertet, die Handarbeit auf dem Feld hingegen nur sehr niedrig. Wo eine Verrechnung oder ein Entgelt nach dem Naturalsystem erfolgt, geht daher der größere Teil des Ernteertrags in der Regel an den Grundbesitzer, während der Bauer oder Pächter, der die eigentliche Arbeit zu leisten hat, nur einen kleinen Teil erhält. Infolgedessen ist der Anreiz gering, die Ernteerträge über den Eigenbedarf hinaus zu steigern.

Diese ungerechte Werteinschätzung, die nur durch eine grundlegende Bodenreform beseitigt werden kann, ist aber nicht der einzige Faktor, der sich ungünstig auf die Landwirtschaft auswirkt. Hinzu kommt, neben dem Mangel an Schädlingsbekämpfungsmitteln, vor allem der Mangel an künstlichem Dünggut. Denn angesichts der Holzarmut des Landes ist die Bevölkerung gezwungen, den Mist des Weideviehs zu sammeln und zu trocknen, um Brennmaterial zum Kochen und Heizen zu haben. Ungünstig wirkt sich auch die Kleinheit der bäuerlichen Pachtbetriebe aus, die in vielen Fällen nicht mehr ausreichen, um den Lebensunterhalt der wachsenden Familien zu gewährleisten. Die Folge ist, daß immer mehr Landarbeiter abwandern und im dörflichen Handwerk, zum Beispiel in der Kelimweberei, oder als Saisonarbeiter in den Städten und in den wenigen Industriebetrieben einen Nebenerwerb suchen, sei es als Last- und Wasserträger, als Bauarbeiter, Gärtner, Straßenkehrer.

Das Nomadentum

Die wirtschaftliche und soziale Struktur Afghanistans wird noch heute weitgehend vom Nomadentum beeinflußt, da ein Großteil der Bevölkerung – man schätzt ihn auf mindestens 2 Millionen – noch immer als Vollnomaden und ein weiterer Teil, für den sich keine genaue Zahl nennen läßt, als Halbnomaden lebt. Bei den Vollnomaden handelt es sich um eine Reihe von Paschtunenstämmen, die ihre Winterquartiere überwiegend im östlichen und südlichen Afghanistan haben, früher auch an den Rändern der Tiefebene des Indus, und von dort im Sommer auf die Hochweiden der benachbarten Gebirge ziehen. Diese Paschtunenstämme gehören der Volksgruppe an, der auch die königliche Familie entstammt. Als im 19. Jahrhundert der afghanische Staat endgültig in seinem heutigen Umfang konsolidiert wurde, erhielten die Nomaden zusätzliche Winterquartiere und Landbesitz in Nordafghanistan sowie Sommerweiden in Zentralafghanistan. Anderseits hat die jüngste politische Entwicklung ihnen das Überschreiten der früheren indischen und heutigen pakistanischen Grenzen immer mehr erschwert. Infolgedessen sind heute, von einzelnen Gebieten im äußersten Nordosten abgesehen, im ganzen Land Nomaden anzutreffen. Das gilt besonders während ihrer Wanderungen im Frühjahr und Herbst, bei denen sie vielfach die großen Verkehrswege benutzen oder in der Nähe von Städten und Bazaren lagern, um Einkäufe zu machen oder andere Geschäfte mit der ansässigen Bevölkerung abzuwickeln. Die Lager der paschtunischen Nomaden sind an den schwarzen Ziegenhaarzelten kenntlich, die das ganze Jahr hindurch bewohnt werden. In Nord- und Zentralafghanistan findet man hier und da noch Jurten der Turkvölker oder von ihnen sich herleitende bewegliche Hütten; sie werden im allgemeinen aber nur noch von Halbnomaden benutzt, die im Winter in festen Stein- oder Lehmhäusern wohnen.

Die Wirtschaft der Nomaden beruht vorwiegend auf Viehzucht. Schaf- und Ziegenherden, eine mitunter noch stattliche Zahl von Kamelen, ferner Esel, Rinder und Hühner gehören zum normalen Viehbestand der Nomaden. Pferde hingegen sieht man nur selten, zumindest bei den Paschtunen. Die Herden werden von großen, sehr scharfen Hunden bewacht, denen Schwanz und Ohren gestutzt werden, damit sie besser mit den Wölfen kämpfen können. Obwohl die Nomaden ausdauernde Wanderer sind, haben sie aller Wahrscheinlichkeit nach nie als reine Wanderhirten gelebt und hätten auch schwerlich als solche existieren können. Vielmehr weist alles darauf hin, daß sie schon in früher Zeit wichtige Aufgaben im Handel und Karawanenverkehr wahrgenommen haben. So haben sie beispielsweise auf ihren Wanderungen durch die verschiedensten Gebiete den Warenaustausch zwischen den alten Messestädten am Indus und den Bazaren von Turan vermittelt. Noch heute werden in Afghanistan viele Handelsgüter, bei denen es nicht so sehr auf die Transportgeschwindigkeit ankommt, mit Kamelen der Nomaden befördert. Häufig trennt sich ein Teil der jüngeren Männer mit den Kamelen vom Lager, um in den Bazaren oder in entlegenen Gebieten, die noch nicht von Kraftfahrzeugen erreicht werden, ihre Transportdienste anzubieten. Auch die Versorgung der ansässigen Bauern mit Textilien, gebrauchten Kleidern und Schuhen, eisernem Gerät, Reis, Zucker und Tee erfolgt mancherorts noch immer über Handelsnomaden. In den Winterquartieren in Ostafghanistan haben die Nomaden überdies einen lohnenden Nebenerwerb im Holzgeschäft gefunden. Da jedoch das Kamel auf wegsamen Strecken gegenüber dem Lastkraftwagen nicht konkurrenzfähig ist, haben sich viele Nomaden bereits auf das motorisierte Transportgewerbe umgestellt; einige sind sogar schon dazu übergegangen, Familien, Hausrat und Kleintiere mit dem Auto zu befördern. Trotz ihrer Handelsaktivität sind die Nomaden aber noch immer auf die Zusammenarbeit mit den Bauern angewiesen, von denen sie auf dem Tauschweg Brotgetreide und Luzerneheu oder das Recht auf Stoppelweide erwerben müssen, falls es ihnen nicht gelingt, selbst Grundbesitzer zu werden und über abhängige Pächter zu verfügen. Der Drang nach Grundbesitz ist bei den paschtunischen Nomaden allgemein vorhanden, was allerdings nichts mit dem Hang zu eigener ackerbaulicher Tätigkeit zu tun hat. Heute besitzen bereits viele Nomaden Land, das ihnen eine ansehnliche Bodenrente einbringt. In Zentralafghanistan zum Beispiel haben es die Handelsnomaden verstanden, zahlreiche ansässige Bauern in die Verschuldung zu drängen und damit von sich abhängig zu machen. Viele Faktoren lassen erkennen, daß wie in den meisten anderen Ländern des Orients auch in Afghanistan das Vollnomadentum im Rückgang begriffen ist, wenngleich sich dieser Prozeß nur langsam vollzieht. Überblickt man die gesamte wirtschaftliche und soziale Situation des Landes, so ergibt sich die zwingende Notwendigkeit, das Wanderhirtentum, wenn auch in modernisierter Form, zu erhalten. Wanderviehzucht allein ist in der Lage, die ausgedehnten, nur jahreszeitlich begrünten Weideflächen im Hochgebirge und in den Steppengebieten für die Volkswirtschaft nutzbar zu machen.

Handel und Verkehr

An den Wandlungen, die sich im Bereich des Verkehrs und Handels vollzogen haben, lassen sich am besten die Veränderungen erkennen, die das Land im Laufe der Zeit durchgemacht hat. Noch in der ersten Hälfte des vorigen Jahrhunderts war Afghanistan ein wichtiges Durchgangsland zwischen Indien, dem Tiefland von Turan und dem Iran. Viele seiner Pässe im Hindukusch galten als bedeutsame Karawanenwege, und in Kabul – damals einem der reichsten Bazare des Ostens – wurden neben heimischen Produkten indische, englische und russische Erzeugnisse gehandelt. Erst durch den Bau des Suezkanals und der Eisenbahnnetze in den angrenzenden russischen und britischen Kolonialreichen, die trotz vielfacher Pläne nie in direkten Schienenkontakt miteinander gebracht werden konnten, kam der Fernverkehr auf den Karawanenwegen weitgehend zum Erliegen. Überdies förderten politische Ereignisse, vor allem die Afghanenkriege der Engländer, die Fremdenfeindlichkeit und machten Afghanistan zu einem verschlossenen Land. Aber noch am Ende des 19. Jahrhunderts wurden an wichtigen Wegen in Abständen von jeweils 25 bis 30 Kilometern, der normalen Tagesroute eines beladenen Kamels entsprechend, neue weitläufige Karawansereien errichtet, die heute großenteils als imposante Ruinen zu sehen sind. Nur einige wenige wurden inzwischen zu «Motosereien» umgebaut. Die afghanische Armee bediente sich damals aus Indien importierter Arbeitselefanten, die bei verschiedenen Gelegenheiten die hohen Pässe im Hindukusch überschreiten mußten.
Überblickt man die gesamte verkehrstechnische Entwicklung, so darf man nicht vergessen, daß Afghanistan ursprünglich ein Land ohne Räder und Radfahrzeuge war. Im Norden haben die Turkmenen erst spät einen vierrädrigen Karren von den Russen übernommen, während man für den Personenverkehr in den Städten die leichte zweirädrige Tonga aus Indien einführte. Das erste Automobil tauchte in Kabul schon kurz vor dem Ersten Weltkrieg auf, doch eine eigentliche Modernisierung des Verkehrswesens setzte erst in den zwanziger Jahren unter König Amanullah ein. Straßenbau und Motorisierung machten nun in allen Teilen des Landes rasche Fortschritte, soweit dies unter den gegebenen Naturbedingungen möglich war. 1933 gelang es erstmals, die wirtschaftlich so bedeutsamen Nordprovinzen durch eine Gebirgsstraße über den Hindukusch mit der Hauptstadt zu verbinden. Rund 30 Jahre dauerte es dann, bis dieser wichtige Verbindungsweg durch eine zweite Gebirgsstraße, die Salang-Paßstraße, entlastet wurde. Amanullah ließ auch zwischen der Altstadt von Kabul und seiner neuen Residenz Darulaman eine Eisenbahn anlegen; sie wurde jedoch in der Revolution von 1929, die sich gegen seine überstürzten Reformmaßnahmen richtete, wieder zerstört. Eine Lokomotive und ein paar verrostete Wagengerippe sind das einzige, was noch daran erinnert – ein seltsames verkehrsgeographisches Relikt. Denn in der Folgezeit ist der Gedanke an den Bau von Eisenbahnen

nie wieder realisiert worden. Das ist durchaus verständlich, da es bis heute wohl noch nirgends ein ausreichendes Verkehrs- und Transportgefälle gibt, das eine Eisenbahn rentabel machen könnte, sofern man nicht an eine internationale Verbindung von der sowjetischen Grenze über Herat und Kandahar nach Westpakistan und an die Küste des Indischen Ozeans denkt. In Afghanistan ist man heute weitgehend der Meinung, das Eisenbahnzeitalter übersprungen zu haben. Alle Hoffnungen werden auf das Flugzeug gesetzt. Kabul wird von mehreren internationalen Fluglinien angeflogen, und auch innerhalb des Landes sind bereits mehrere Städte untereinander und mit der Hauptstadt durch regelmäßige Flüge der afghanischen *Ariana* verbunden. Auf diese Weise stehen die Verkehrsmittel der verschiedensten Epochen schroff nebeneinander. Im Landverkehr setzt sich immer mehr das Lastauto durch, dringt in immer entferntere Täler vor und verdrängt langsam das Tragtier. Der Tourist, der mit dem Flugzeug in Kabul landet, kann unter Umständen gezwungen sein, noch am selben Tag den geländegängigen Jeep, das Pferd oder den Esel als «Verkehrsmittel» zu benutzen. Wegen der überaus hohen Kosten gibt es erst wenige Verbindungsstraßen zwischen den größeren Städten, die einen festen, staubfreien Belag haben; und daran dürfte sich in absehbarer Zeit kaum etwas ändern.

Das Verkehrsbild auf diesen Straßen wird ganz von Lastkraftwagen beherrscht, deren Fahrgestelle meist aus den USA stammen, während die farbigen hölzernen Aufbauten in den Werkstätten Afghanistans oder Westpakistans entstanden sind. Mit Hilfe dieser Lastwagen wird der Handel im Binnenland und zu den Grenzübergängen bewältigt, von denen es bisher nur fünf von einiger Bedeutung gibt. Der Chaiber-Paß und Quetta sind wichtige Grenzstationen auf den Verbindungsstraßen nach Pakistan; auf ihnen erhält Afghanistan in normalen Zeiten seine Importgüter, die über den Seehafen Karatschi und das pakistanische Eisenbahnnetz heranbefördert werden. Im Norden berührt das sowjetrussische Eisenbahnnetz an zwei Stellen die afghanische Grenze. Hier hat der mit sowjetischer Hilfe gebaute Flußhafen am Amu-Darya zeitweise eine große Rolle gespielt, als der Transithandel über Karatschi wegen politischer Schwierigkeiten mit Pakistan unterbrochen war und die Waren aus Europa über die Sowjetunion umgeleitet werden mußten. Schließlich gibt es noch einen offiziellen Grenzübergang zum Iran zwischen Herat und Mesched, über den in wachsendem Maß iranisches Benzin nach Afghanistan gelangt.

Der afghanische Export besteht noch überwiegend aus Produkten der landwirtschaftlichen Tätigkeit. Hauptausfuhrgut sind nach wie vor Karakulfelle, von denen das Land unter günstigen Bedingungen etwa 2,5 bis 3 Millionen auf den Weltmarkt bringen kann, wo es mit Südafrika und der Sowjetunion zu konkurrieren hat. Die Viehzucht, an deren Produktion die Nomaden stark beteiligt sind, liefert außerdem Wolle, Felle, Häute und Därme, der Ackerbau Baumwolle, ferner frisches und getrocknetes Obst. Der Export von Frischobst, namentlich Trauben, die besonders leicht verderblich sind, ist durch den Straßenbau und die Motorisierung zwar gefördert worden; dennoch ist ein großer Teil der hochwertigen Obstfrüchte auch heute noch nicht exportfähig, weil es an Möglichkeiten zu einwandfreier Verpackung, raschem Transport und maschineller Verarbeitung mangelt. Nur ein geringer Prozentsatz der landwirtschaftlichen Produktion wird im eigenen Land weiterverarbeitet, sei es in den wenigen Textilfabriken oder Ölmühlen, der bisher einzigen Zucker- oder Seifenfabrik des Landes oder in den neuerdings entstandenen Obstkonservenfabriken, deren geringe Zahl sich besonders nachteilig auswirkt. Eine Spezialität Afghanistans sind seine Teppiche, die überwiegend bei den Turkmenen im Nordwesten des Landes hergestellt werden und zu den bekanntesten Exportartikeln gehören. Im Gegensatz zur Produktion anderer Teppichländer handelt es sich hier noch meist um überliefertes Handwerk und nicht um Manufakturware. Es sieht so aus, als beginne Afghanistan sich auch für andere Produkte handwerklicher Fertigkeit, besonders gestickte Pelzjacken und Mäntel, einen Markt zu erobern. Die bergbauliche Tätigkeit hingegen spielt, ihrer verkehrstechnisch bedingten Unterentwicklung entsprechend, für den Export noch keinerlei Rolle. Eine rühmliche Ausnahme ist der Lapislazuli, für den das Land ein Weltmonopol besitzt. Exportiert werden allerdings zumeist Rohsteine, wie überhaupt das Kunsthandwerk in Afghanistan noch wenig entwickelt ist.

All diese Einzelheiten machen verständlich, warum Afghanistans Kulturlandschaft trotz der anerkennenswerten Anstrengungen des eigenen Landes und umfangreicher Hilfeleistungen seitens des Auslands noch immer so viele altertümliche Züge aufweist. Manche von ihnen werden in absehbarer Zeit verschwinden – andere wiederum, die den besonderen Reiz des Landes ausmachen, könnten bewußt zu einem positiven Element der Fremdenverkehrswerbung gemacht werden. Afghanistan ist weder von seiner Landesnatur noch von seiner Geschichte begünstigt worden. Um so mehr sollte man würdigen, wie die Menschen dieses Landes in Anpassung an die harten natürlichen Bedingungen und mit geringen technischen Mitteln ihre Umwelt gestaltet und die begrenzten wirtschaftlichen Möglichkeiten genutzt haben. Aus der Perspektive der Zukunft gesehen, wäre es wünschenswert, daß der auf allen Gebieten so dringend notwendige Fortschritt erzielt wird, ohne daß von dem Zauber, den die an Natur und Tradition gebundene Lebensweise ausmacht, allzuviel verlorengeht.

▶

77, 78, 79 Die Sonne versinkt im Dunst und Staub der baktrischen Tiefebene. Das zentralasiatische Steppengebiet zwischen dem Hindukuschkamm und dem Amu-Darya, dem Oxus der Antike, ist das Siedlungsgebiet von 1,2 Millionen Usbeken und 400000 Turkmenen. Das Pferd prägt in afghanisch Turkestan heute noch den Alltag. Ein Fest der Turkmenen zum Id-e-Ramadhan, dem Ende der Fastenzeit, erinnert an die fernen Zeiten des Tschingis-Chan.

80, 81, 82, 83 Das Buzkaschi ist der Höhepunkt eines jeden großen Festes in afghanisch Turkestan. Bei diesem wilden Pferdespiel kämpfen die verwegenen Tschapanduz um den Kadaver eines Kalbes oder einer Ziege. Der «Tschartschi» [Ausrufer] gibt die Höhe der Preissumme und den Beginn des Spiels bekannt. Die Zahl der Teilnehmer schwankt zwischen zwanzig und zweitausend.

84, 85 Die kurze Peitsche [Kamtschin] zwischen die Zähne geklemmt, rast der Tschapanduz auf der Jagd nach dem Kalb über die Steppe. Ein Privileg der Turkmenen ist die Pferdezucht allerdings nicht. Der mit Silber und Achat geschmückte Schimmel ist der Vollblüter eines wohlhabenden Paschtunen.

86 Was für die Turkmenen das Buzkaschi, ist für die Paschtunen das Pflockstechen. Im vollen Galopp muß mit einem Dreizack ein in den Boden gerammter Pflock aufgespießt werden.

87 Der Siegestrunk des Tschapanduz: ein Schluck kühlen Wassers. Charakteristisch für die Profis unter den Buzkaschi-Reitern ist die Mütze aus Karakulfell.

88, 89 Am Id-e-Ramadhan-Fest in Aktscha vergnügen sich die Buben mit einem Karrussel, dessen geschnitzte Pferdchen von archaischer Schönheit sind.

90 In Taluqan sind Zigeuner eingetroffen. Ihr Wanderzirkus mit Musikanten, Jongleuren und Märchenerzählern findet ein aufmerksames Publikum.

91 Auf dem Gadi, dem zweirädrigen Pferdewagen, fahren verschleierte Mütter mit ihren Kindern nach Aktscha zum Fest.

92 Mazar-i-Scharif ist ein bedeutendes Handelszentrum und der größte Pilgerort Afghanistans. Das neue, bunte Bazarviertel leuchtet unter einem dunkeln Dezemberregenhimmel.

93 Haddschi-Mokim-Bay, ein reicher Gutsbesitzer, ist Herr über Ländereien, Menschen und Pferde. Die Buzkaschi-Mannschaften von Mazar-i-Scharif stehen unter seiner Obhut.

94, 95 Tschai-Chana in Kunduz. Das öffentliche Leben spielt sich nur unter Männern und fast ausschließlich in den Teehäusern ab.

96 Haq-Morat-Bay empfängt Gäste in seinem Haus in Jangalarak.

97 Der gedeckte Bazar von Taschkurgan ist der schönste Bazar alten Stils in Afghanistan.

98, 99 Stoff- und Gebrauchtkleiderbazar in Mazar-i-Scharif. Der Handel mit europäischen und amerikanischen Gebrauchtkleidern ist umfangreich und konkurrenziert die einheimische Textilindustrie.

Wolle

100 Markttag in Aktscha. Haq-Morat-Bay, ein Großkaufmann [zweiter von rechts] kauft Teppiche, die von den Turkmenenfrauen in Heimarbeit geknüpft worden sind. Der Buchhalter errechnet mit Hilfe des Tschott [Zählrahmen] die genauen Maße.

101, 102, 103 Unter den kobalt- und türkisfarbigen Kuppeln und Türmen von Mazar-i-Scharif ruhen angeblich die Gebeine des vierten Kalifen Ali, von dessen Wundertaten zahllose Legenden berichten. Das ganz in Keramik gekleidete Bauwerk, das der Stadt den Namen gegeben hat – Mazar-i-Scharif heißt: das noble Grabmal – stammt aus dem Ende des fünfzehnten Jahrhunderts. Das Grabmal des Kalifen Ali ist das bekannteste Bauwerk islamischer Kunst in Afghanistan. Es wird jährlich von Hunderttausenden von Pilgern besucht.

بسم الله الرحمن الرحيم
اعوذ بالله من الشيطان الرجيم

104 Unweit von Mazar-i-Scharif, in Balch, einst als «Mutter der Städte» weltberühmt, 1221 durch Tschingis-Chan dem Erdboden gleichgemacht, steht das zerfallende Mausoleum des Timuridenkönigs Abu Nasr Parsa.

105 Zwei Minarette in Ghazni sind die einzigen Zeugen aus jener Zeit, als Ghazni die Residenz der Ghaznawiden war. Die Türme haben einen sternförmigen Grundriß. Ihr Ziegeldekor gehört zu den besten Schöpfungen der islamischen Kunst.

106, 107 Laschkari-Bazar. Im Süden von Kandahar, am Zusammenfluß von Hilmend und Arghandab, erstreckt sich ein archäologisches Gelände von gewaltigem Ausmaß. Es handelt sich um die ehemalige Winterresidenz der Ghasnawiden, erbaut im Anfang des elften Jahrhunderts, verwüstet durch Tschingis-Chan 1221.

108 Eines der vier Minarette der Medrese von Hussain-Baikara [1496–1506] in Herat. Das fünfundvierzig Meter hohe Bauwerk flankierte mit drei weiteren die Ecken der Medrese [Islamische Universität] und gehört zur zweiten Periode des timuridischen Stils.

109 In mächtigen Kupferbottichen über offenem Feuer färben die Turkmenen ihre Teppichwolle ein. Pflanzenfarbstoffe werden in dieser Großfärberei in Aktscha nicht mehr verwendet.

110 Die Turkmenenfrauen aus dem Stamme der Ersari sind Künstlerinnen im Knüpfen der in der ganzen Welt geschätzten Teppiche. Ohne Vorlage knüpfen sie selbst komplizierteste Muster auf ihren horizontalen Knüpfstühlen.

111 Alter Teppich aus der Gegend von Aktscha. Ungewöhnlich ist die Darstellung der Pferde und menschlichen Figuren. Die Turkmenenteppiche zeigen im allgemeinen rein geometrische Muster.

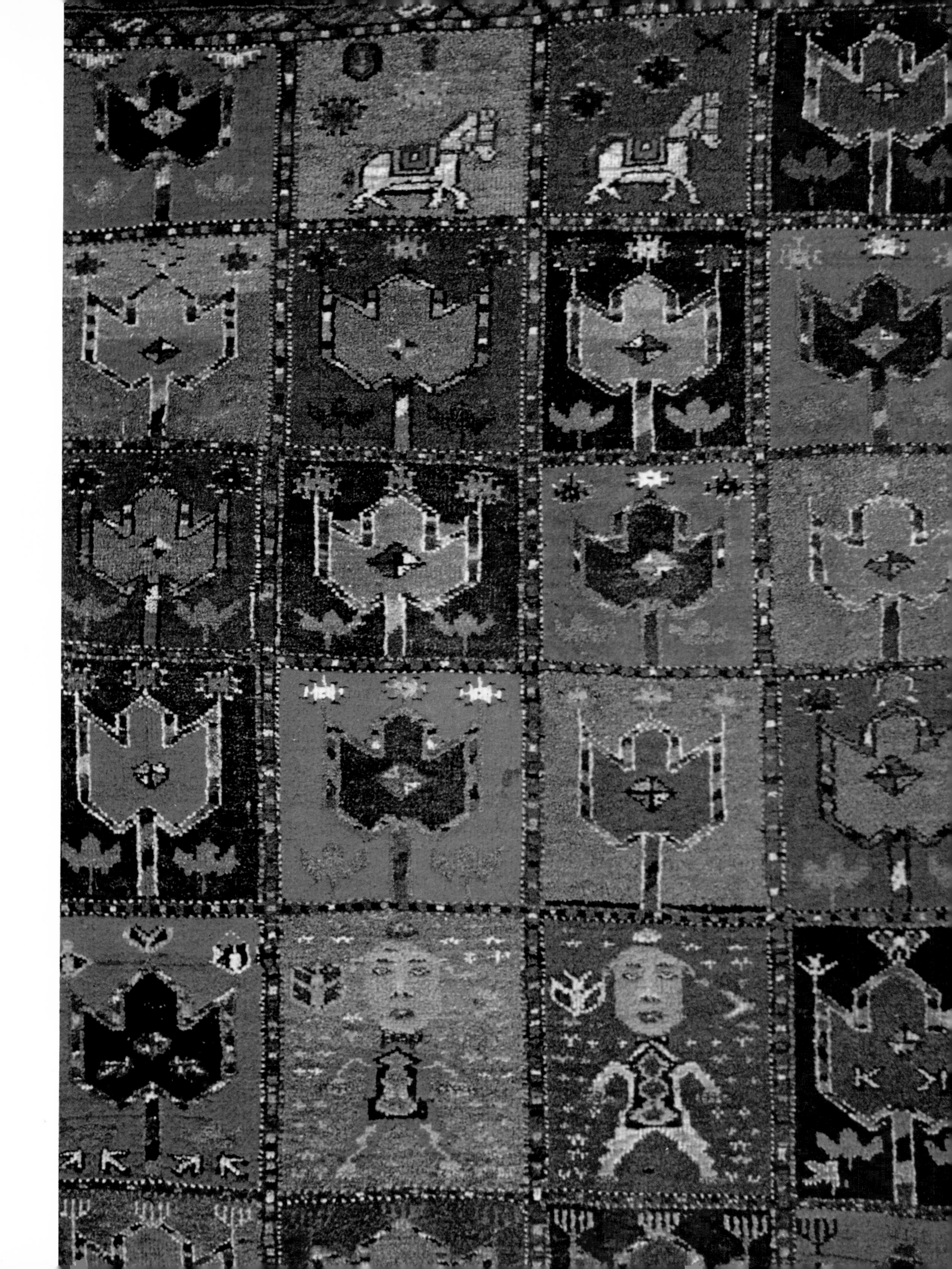

112 Dicht gedrängt sucht eine Schafherde am Kundus-Fluß Schutz vor der unbarmherzig niederbrennenden Sonne.

Bei Steppenreitern und Nomaden

Herbert Maeder

Der König kommt

Seine Majestät, Mohammad Zaher Schah, König von Afghanistan, eröffnet die internationale Messe zum fünfzigsten Unabhängigkeitsfest – Dscheschen-e-Isteqlal.

Dscheschen, das drei Tage dauernde Unabhängigkeitsfest, feiern die Afghanen seit ihr Land im Jahre 1919, nach dem dritten anglo-afghanischen Krieg, aus einer entmündigten Pufferzone zu einem souveränen Staat geworden war. Im ganzen Land verwandeln sich an diesen Tagen Dörfer und Städte. Hölzerne, mit Fahnen und Bändern geschmückte Triumphbogen überspannen die Straßen und führen zum Dscheschen-Gelände. Dort ist bunter Jahrmarktbetrieb mit Musik, Teehaus, Geschichtenerzähler, mit Karussels, auf denen sich geschnitzte Pferdchen drehen, und mit handbetriebenen Riesenrädern.

Selbst über den Dukanen der Bazarstraße flattern rote, grüne und gelbe Tücher. In Kabul ist Dscheschen am größten. Militär- und Jugendparaden, Pflockstechen, Paschtunentänze, Buzkaschispiele, Feuerwerk und eine internationale Messe. Der König kommt! Er kommt mit großem Gefolge. Da sind der Thronfolger Prinz Ahmad Schah und die schönen Prinzessinen Bilquis und Maryam, da sind Verwandte, hohe Beamte und Offiziere. In den Pavillons der Länder erwartet man ungeduldig den hohen Besuch. Die Herren Botschafter zupfen ein letztes Mal an der Kravatte, die Firmenchefs oder Staatsvertreter, so es sich um sozialistische Länder handelt, vergewissern sich, daß die Putzer verschwinden und alle in der richtigen Rangfolge bereitstehen. Jetzt, flankiert und gefolgt von seinen Leuten: Mohammad Zaher Schah, der König von Afghanistan, sofort erkenntlich am kahlen, glänzenden Kopf und an der dicken Hornbrille. Sieht er wie ein König aus? Sein Gesicht ist das eines Intellektuellen, eines Schriftstellers vielleicht. Sein langgezogener Kopf mit den vollen Lippen ruht auf einer schlanken, stattlichen Gestalt; unauffälliger Straßenanzug, weißes Hemd, feingemusterte Kravatte. Der hünenhafte schweizerische Botschafter Max König, der sonst in Teheran seinen Geschäften nachgeht und jeweils über Dscheschen nach Kabul fliegt, reicht dem Monarchen die Hand: «Soyez le bienvenu, Majesté!» Majestät gibt sich gewohnt demokratisch, drückt alle Hände, die sich ihm entgegenstrecken, und läßt sich nach einem kurzen Rundgang zu einer kleinen Erfrischung nieder. Die schweizerischen Aussteller wissen diese Ehre sehr zu schätzen. Unter glänzenden Uhrenvitrinen plaudert der König des asiatischen Berglandes mit Botschafter König aus der schweizerischen Alpenrepublik: Könige unter sich!

Karawanen der Nacht

«Es breiten sich aber in den Bergen weite Ebenen aus, mit Gras und Blumen bekleidet, und große Ströme mit dem klarsten Wasser stürzen sich durch die Felsklüfte. In diesen Flüssen findet man Forellen und viele andere Arten schmackhafter Fische. Auf den Höhen der Berge ist die Luft so rein und so heilsam, daß die, welche in den Städten und in den Ebenen und Thälern unten wohnen, wenn sie vom Fieber oder anderen Krankheiten befallen werden, sich augenblicklich hinaufbegeben und nach drei Tagen Weile daselbst ihre Gesundheit wieder erhalten.» So schrieb Marco Polo [1254–1324] über das Land Badachschan.
Die reine, heilsame Luft Badachschans läßt mich auf meiner Luftmatratze rasch einschlafen. Der Tag war heiß gewesen: Backofenhitze mit flimmernder Luft über den Felsen. Jetzt ziehe ich die Daunenjacke über die Ohren. Die ersten Sterne funkeln über den violetten Bergketten, und in der Luft liegt das Rauschen des nahen Koktscha-Flusses.
Stunden später weckt mich ein seltsam dumpfes und schlurfendes Geräusch. Über der schwarzen Masse des nahen Landrovers hängt schief die Mondsichel. Ihr Licht erhellt die kahle Berglandschaft. Die Umrisse von Pistazienbäumen sind zu erkennen, darüber, wie eine langgezogene Wolke, die Milchstraße. Ich wende den Kopf in jene Richtung, aus der die seltsamen Laute kommen. Da gehen Kamele, eine unabsehbare Kette, gleich Scherenschnitten vor dem Sternenhimmel. Gebannt blicke ich auf die Märchenszenerie. Je länger ich schaue, desto mehr Einzelheiten kann ich erkennen. Einige Männer gehen zu Fuß. Frauen sitzen hoch zu Kamel und haben Kinder vor sich hingesetzt. Einzelne Tiere tragen dicke Bündel, vermutlich Brennmaterial, andere Ballen aus Teppichen und Tuch, darauf die Zeltstangen. Ohne Lasten, auf dünnen, langen Beinen stelzen die Jungtiere mit. Die Kette reißt ab. Waren es fünfzig, hundert oder noch mehr Tiere gewesen? Ein dumpfes Bellen, von weit her, ein Ruf, der in der Nacht hängenbleibt, ein immer näher kommendes Getrampel von Schafen und Ziegen, ein Rauschen, anschwellend und in der Nacht sich verlierend. Da, wieder ein kurzes Gebell, viel näher jetzt. Ein Schatten löst sich aus der Nacht, bewegt sich auf mich zu. «Verdammt, ein Kutschihund, einer dieser furchtlosen, im Kampf mit Wölfen gestählten Vierbeiner!» Wehrlos liege ich in meinem Schlafsack. «Keine Aufregung!» denke ich, «keine Bewegung jetzt!» Ich versuche, den Schlafenden zu mimen. Jetzt steht der Kerl über mir. Ich sehe seinen kurzen Stummelschwanz, seine gestutzten Ohren. Er senkt den Kopf, schnüffelt an mir herum. Eine warme Wolke strömt aus seinem Rachen in mein Gesicht. «Nur jetzt ruhig bleiben!»
Ein langgezogener Ruf: «Ohooooooo, ohoooooo!» Der Hund hebt den Kopf und trottet davon.
Ich versuche zu schlafen, zähle die Sternschnuppen, die in reicher Zahl wie ein Feuerwerk den Nachthimmel zieren.

Und wieder die schlurfenden Schritte, eine neue Karawane, endlos. Wieder Hundegebell, Männerrufe, wimmernde Laute eines kleinen Kindes, Getrampel von Schafen.

Armer Mann? Reicher Mann?

«Das Streben nach materiellem Besitz ist wenig ausgeprägt, denn gesellschaftliche Anerkennung wird vor allem dem zuteil, der Klugheit, Frömmigkeit, Tapferkeit und Gerechtigkeit besitzt, der Gastfreundschaft übt und eine Schar von klugen Söhnen hat»
[E. Rhein/A. G. Ghaussy].
Wer materielle Besitztümer hat, ererbte oder erarbeitete, gibt das kaum zu erkennen. Der Koran verlangt Bescheidenheit. Und die Afghanen sind gottesfürchtige Männer, die sich nach der Schrift richten. Wer ist arm, wer ist reich? Ich sehe die Zuschauer beim Buzkaschispiel, Hunderte von Gesichtern, eingerahmt vom hellen, feinen Tuch des Turbans und vom bunten, gestreiften Stoff des «Tschapans»; welches sind die reichen Bays? Ich sitze in der «Tschai-Chana» und beobachte die Männer, die mit verschränkten Beinen auf dem «Tscharpoi» sitzen, Karte spielen, einen Zug aus der Wasserpfeife nehmen; wer ist der reiche Chan? Ich schlendere durch den Bazar, in Taschkurgan und Chanabad, in Kandahar und Herat. Die Männer bewegen sich alle mit einer Ruhe und Würde, die seelisches Gleichgewicht verrät. Wer ist arm, wer reich? Ein hoher Beamter des Außenhandelsministeriums erlebte kürzlich folgende Geschichte: «Ein Mann kommt zu mir, ein alter, in Lumpen gekleideter Mann. ‹Ich möchte Lastwagen aus Amerika einführen›, sagt er. ‹Gut›, sage ich zu ihm, ‹da müssen Sie aber die Hälfte des Geldes hier in bar anzahlen.› Es geht um einen Betrag von siebzigtausend Dollar. Der Alte nickt und verläßt mein Büro. In einer Stunde ist er wieder da. Diesmal trägt er auf dem Rücken ein Tuchbündel. Dieses legt er vor mich hin, knüpft es auf und blättert Afghani-Scheine im Werte von fünfunddreißigtausend Dollar auf den Tisch.»

Brot, Tee und einiges mehr

Zartgrüne Pappeln säumen den Weg durch das liebliche Maidan-Tal und spenden den Kutschikarawanen Schatten. Die Weidezeit in den Hochlagen des Hazaradschat ist abgelaufen, der Winter steht vor der Tür. Die Nomaden wandern vom Unail-Paß her gegen Kabul und weiter zu den milden Landstrichen um Dschalalabad. Eine Sippschaft hält am Maidan-Bach Rast. «Salam aleikum», grüße ich den «Baba», den ältesten Mann der Gruppe. Verwundert nähert er sich mir, legt die linke Hand aufs Herz und grüßt mich mit den schönen, langen Grußformeln, die ich nur wenig kenne und nicht erwidern kann. Ein freundliches Lächeln zeigt mir das Wohlwollen des Mannes. Ich lächle zurück. Das ist auch eine Sprache. Da knüpft der «Baba» ein Bündelchen auf, das er in der Hand getragen hatte, und entnimmt ihm ein rundes, dunkles Fladenbrot. Er bricht es entzwei und streckt mir eine Hälfte entgegen. Wir essen zusammen das Brot, schauen uns in die Augen, lächeln, kauen. Das Brot schmeckt würzig und kräftig. Die Kutschifrauen haben es am Abend gebacken. Ihr Ofen war ein flacher Stein, den sie mit dem Feuer von Dornengestrüpp erhitzten. Zwölf Rößlein mit aufgebundenen Blechkisten gehen stetig ihren schmalen, steinigen Weg in der Sonnenglut, die Pferdetreiber von Dascht-e-Rewat hinterdrein. Wo der reißende Pandschir-Fluß, dem der Pfad über Tagesmärsche folgt, seinen Lauf verlangsamt und sich in zwei Arme teilt, durchwaten Pferde und Menschen das eisige, klare Wasser. Sie wollen auf der schmalen Flußaue rasten. Die von den schweren Lasten befreiten

Pferde saufen gierig aus dem Fluß und knabbern an den wenigen Weiden- und Sanddornsträuchern. Die Männer kauern in Gruppen am Boden. Unter ihren zerbeulten Teekannen knistert Feuer, das sie im Nu aus einer Handvoll dürrem Gestrüpp entfacht haben. «Tschai ast, chub?» Mir Akbar, der Spaßvogel unter den Pandschiri, schlägt mir mit seiner schweren Bauernhand auf die Schulter und lädt mich zum Trinken ein. Es ist starker, ungesüßter Schwarztee. Die Süßigkeit liefern honigfarbene, klebrige Brocken, die man zerschlägt und zum Tee kaut. «Tut» nennen die Pandschiri die süße Universalkost, die aus getrockneten Maulbeeren gewonnen wird und einen hohen Nährwert hat. Während Wochen ernähren sich die Pferdetreiber von Tee und «Tut».
Hinter dem Reisbauerndorf Qala Saidan in der Provinz Laghman steigen flache Hänge den Bergen zu. Schafe, Ziegen und Kamele finden zwischen dem Geröll karge Nahrung. Nomaden vom Stamme der Ahmad Sei haben in der Nähe eines dünnen Bächleins ihre schwarzen Ziegenhaarzelte für die Winterzeit aufgeschlagen. «Friede sei mit euch!» begrüßt der Älteste des Lagers meinen Freund Torealei und mich. «Seid unsere Gäste und habt ein langes Leben! Ihr wißt, es ist Fastenzeit; die heiligen Vorschriften verbieten es, euch vor dem Einnachten zu bewirten. Aber bleibt solange, bis die Sonne untergegangen ist und teilt mit uns, was wir haben!»
Die Sonne steht tief. Kamele und Zelte werfen lange, blaue Schatten. Rauch steigt aus den Zelten; die Frauen backen Brot. Ein Mädchen in zinnoberrotem Tuch trägt auf dem Kopf eine Wasserkanne zum Zelt. Die sieben Männer des Lagers erheben sich von ihren Teppichen, wo sie lange mit uns geplaudert haben. Auf dem höchsten Punkt einer Kuppe wenden sie sich im Gebet Mekka zu. Von der Sonne bleibt nur ein goldener Saum zwischen Bergen und Himmel übrig.
Ein Eßtuch ist auf dem Boden ausgebreitet. Aus den drei Zelten tragen die Männer warme Brote, Tee und zwei blecherne Schüsseln. In der einen Schüssel ist gekochter, wilder Spinat, in der andern Krottie, eine Speise, die aus Brocken von geronnener und getrockneter Buttermilch, Mehl und Schaffett zubereitet wird. Alle sitzen um das Eßtuch, reißen mit der reinen, rechten Hand Fetzen vom dunkeln Fladenbrot, tunken es in die Speisen und führen es zum Mund. Besteck gibt es nicht, heißer Schwarztee hilft mir, die ungewohnte Kost hinunterzuschlucken. Ein makelloser Sternenhimmel steht über dem einsamen Land. Man fröstelt, zieht ein Tuch über die Schultern.
Dicke Männer sind in Afghanistan selten. Dicke Frauen? vermutlich auch. Beurteilen kann ich das nicht, denn Frauen sehe ich in der Öffentlichkeit kaum, und wenn ich sie sehe, verbirgt der Schleier Figur und Gesicht. Ein großer Teil des afghanischen Volkes lebt asketisch, muß asketisch leben. Brot und Tee sind die Grundlage der Ernährung, und viele sehen kaum je etwas anderes, vielleicht zu Zeiten etwas Melonen und Gemüse. Palau, das beliebte Reisgericht mit Fleisch, ist für viele bereits ein Festessen, desgleichen der berühmte Kabab [Schaffleischstückchen vom Grill]. Die afghanische Küche ist dennoch reich an schmackhaften Gerichten. Wer das Vergnügen hat, Gast bei begüterten Afghanen zu sein, kann ihre Tafel kennenlernen.
Haq-Morat-Bay hat mich mit meinen Freunden in sein Haus in Jangalarak zum Mittagessen eingeladen. Haq-Morat ist Turkmene, Großkaufmann, keine vierzig Jahre alt. Er hat das Gesicht eines asiatischen Huckleberry-Finn, lacht viel, lächelt noch mehr und gewinnt die Zuneigung der Menschen auf den ersten Blick. Ich halte ihn für ausgesprochen unwiderstehlich. Er kauft und verkauft Teppiche, Därme, Häute, Karakulfelle. Er pflegt Millionengeschäfte mit Handschlag zu besiegeln. «Er ist ein kaufmännisches Genie» sagen seine Geschäftsfreunde, und meinen: «Hätte Afghanistan

mehr solcher Haq-Morats, dann würde die Entwicklung des Landes schneller voranschreiten.» Haq-Morat hat eine kleine Gesellschaft von Freunden durch seine Teppichmanufaktur geführt. Es ist der erste derartige Betrieb in Afghanistan. Buben und Männer knüpfen dort auf horizontalen Rahmen Teppiche, wie sie bisher nur von Frauen und Mädchen im Familienbetrieb hergestellt wurden. Haq-Morat heißt uns in sein Gastzimmer eintreten. Man zieht die Schuhe vor der Türe aus. Das längliche Gastzimmer ist so dicht mit verschiedenen Lagen von Teppichen bedeckt, daß ich das Gefühl habe, auf einem Waldboden zu gehen. Den Wänden entlang, die in Marmormanier bemalt sind, liegen flache Kissen. Möbel gibt es keine. Die Gäste setzen sich mit verschränkten Beinen, einige bevorzugen eine halb kniende Stellung. Ein runder Blechofen strömt wohlige Wärme aus. Zwei Diener bringen in ziselierten Zinnkannen warmes Wasser, Seife und Handtücher. Während der Gast seine Hände über eine ebenfalls zinnene Schüssel hält, begießt sie der «Batscha» mit Wasser. Nun legen die Diener ein langes, weißes Eßtuch über die dunkelroten Teppiche. Der «Tisch» wird gedeckt. Die zwei Batschas und Freunde von Haq-Morat wetteifern im Herbeitragen der Speisen.

Als Aperitif wird jedem Gast ein Porzellankännchen Tee vor die Füße gestellt, daneben ein Schälchen mit Zuckermandeln. Alkoholische Getränke gibt es nicht. Die Vorschriften des Koran sind hier heilig.

Warme, runde, fladendicke Brote, sogenanntes Usbekenbrot, legen die in Socken auf dem «Tisch» herumgehenden Batschas in die Mitte des Eßtuches, daneben kleinere, gezuckerte und in Öl gebackene Brote. Ein mir besonders lieber Duft breitet sich aus, der Duft von Kabab. Viele Dutzende von Spießchen liegen plötzlich griffbereit. Es ist Kabab-Teka: zwischen mageren Fleischstückchen immer ein Stück Fett, und Abreschom-Kabab: Spießchen aus Gehacktem. Man reißt gehörige Fetzen vom großen Brot und streift damit das Fleisch vom flachen Eisenblechspieß. Pfeffer und Curry und geschnittene Zwiebeln sind in Glasschälchen bereit. Das Schaffleisch wird für den Kabab in der Morgenfrühe nach dem Schlachten mit Knoblauch, Zwiebel und Salz in gegorener Milch eingelegt.

In weiten Porzellanschüsseln bringen die Batschas Kabeli-Palau, einen trockenen Reis mit Rosinen und Möhren, dazu Morg-Palau, Reis mit Huhn. Ich bewundere die elegante Art, mit der Haq-Morat mit der schlanken rechten Hand in die Schüssel greift, Reis und Fleisch zu einer Kugel drückt und zum Munde führt. Ich versuche es ihm gleichzutun und verstreue Reis und Fleisch auf Kleider und Eßtuch. Ganz froh kehre ich zu Löffel und Gabel zurück, die man im Hause des Gastgebers für ungeschickte Ausländer bereit hält. Schüsseln werden gereicht und wieder weggetragen: Fleischküchlein in pikanter Sauce, Kofta genannt, Schaffleischstücke in Öl gebraten, Huhn in Sauce und nicht zu vergessen der würzige Aschak, ein Gericht aus Teig, Hackfleisch, Knoblauch, Pfeffer, Schnittlauch und Joghurt. Sorgfältig suchen sich die Füße der Batschas zwischen den Broten, Teekännchen, Bratspießen und Schüsseln freien Platz. Bei dem üppigen Angebot an Speisen ist kaum jemand auf kluge Tischgespräche erpicht. Man versucht, genießt, schmatzt, greift in diese und in jene Schüssel. Die Bäuche schwellen an. Obwohl ich versuche, es meinen Tischgenossen gleichzutun, macht mir das Hocken auf verschränkten Beinen erhebliche Mühe, dabei sieht es bei den Afghanen so bequem aus. Ich knie, liege einmal auf der rechten, einmal auf der linken Seite, mit aufgestützten Ellbogen und angezogenen Beinen.

Magut, eine Art Mandelpudding, läßt das Ende des langen Gastmahls erahnen; Zucker- und Wassermelonen sowie Orangen beschließen es. Die Zuckermelonen sind nicht zu vergleichen mit ähnlichen Früchten, die in Europa als Melonen verkauft werden. Ihr Fleisch ist so zart und saftig, ihr Geschmack so fruchtig, daß die

stolze Behauptung der Afghanen, ihre Melonen seien die besten der Welt, nichts anderes als die Wahrheit ist.
Schnell ist die Tafel geräumt. Nur die sperrigsten Schüsseln werden von den Batschas weggetragen. Dann beginnen sie zu zweit das Eßtuch einzurollen: Brote, Spieße, Tassen, Schüsseln, Fleisch und Früchte, Magut und Zuckermandeln wirbeln und klirren durcheinander. Ein Griff, und die ganze Tafel kann auf dem Rükken zur Küche getragen werden.

Ein Volk von Betern

Am Ende des Wariadschtals, auf 3500 Metern Höhe, entdecken die Pferdetreiber aus Dascht-e-Rewat die mörtellos gefügten Steinbauten eines verlassenen Nomadenlagers. Sie verbringen die kalte Nacht aneinandergeschmiegt wie Katzen. Im Morgengrauen sehe ich sie auseinandergehen und bergwärts steigen.
Über dem Lager, auf dunkeln Felsen, stehen sie als Schattenrisse vor dem klaren Morgenhimmel. Nach Mekka gewendet verrichten sie mit weitausholenden Gebärden ihr erstes Tagesgebet. Ein ergreifendes Bild, diese zähen, anspruchslosen Bergbauern mit dem festen, von keinerlei Zweifel angenagten Glauben.
Kaum viel schneller als im Schrittempo kurvt sich der überfüllte, buntbemalte Autobus die Kehren des Schibar-Passes hoch. Ein Dutzend Männer reist auf dem Dach zum halben Preis mit. Ein Stück Turbantuch, vor Mund und Nase gebunden, schützt vor Staub und Kälte.
Auf einer Höhe von mehr als dreitausend Metern hält der Bus mitten auf der Strecke an. Weit und breit kein Haus!
Die Fahrgäste klettern über die enggestellten, zwischenraumlosen Sitze, die wie Großmutters Gartenmöbel aussehen, ins Freie. Zwischen vielen hellen Turbanen leuchten oliv, violett und hellblau die Schleier einiger Frauen. Alle Fahrgäste treten neben die Straße. Sie gruppieren sich in derselben Richtung, breiten Tücher auf dem Boden aus oder geknüpfte Gebetsteppiche und halten ihre Andacht.

Mit dem Autobus von Kabul nach Mazar-i-Scharif

An einem Donnerstag will ich mit meinem Freund Torealei Saré von Kabul nach Mazar-i-Scharif fliegen. Die Luftfahrtgesellschaft ARIANA befliegt diese wichtige Inlandstrecke mit einer Propellermaschine vom Typ DC 6. Wie ich Mittwoch abends im Ariana-Büro Karten besorgen will, muß ich von einer schwarzhaarigen Paschtunen-Schönheit hören, daß der Flug nicht stattfindet. Das Wetter sei zu schlecht, und über den Hindukusch werde nur auf Sicht geflogen.
Torealei tröstet mich: «Wir fahren mit dem Autobus!» Um halb sieben Uhr des folgenden Tages drängen wir uns ins enge Büro der afghanischen Post an der Hauptstraße Dschad-e-Maiwand, wo Karten für den Postkurs nach Mazar-i-Scharif abgegeben werden. Wiederum haben wir Pech. Ausverkauft! Torealei nimmt die Sache nicht tragisch. «Wir finden einen andern Bus!» meint er zuversichtlich. Im Stadtviertel Parwan, an der Ausfallstraße zum Norden, wartet ein ganzer Wagenpark. Bunt bemalte Busse und Lastwagen, Jeeps und Wolga-Taxis sind bereit, nach dem Norden aufzubrechen.
Ausrufer nennen mit durchdringender Stimme Fahrziel und Fahrpreis. Frauen in violetten und grünen Schleiern mit Kindern an beiden Händen, Männer mit seidenen Turbanen und langen, gestreiften Mänteln stehen herum. Ihre Habseligkeiten sind in dunkelrote Teppiche eingerollt oder in weite Tücher zusammengefaßt. «Mazari-Mazari-Mazari-Mazariiiiii!» schreit ein

junger Mann mit einer Mütze aus Karakulfell und einer Jacke, die vielleicht ein amerikanischer Unteroffizier im Zweiten Weltkrieg getragen hatte. Wir klettern in den roten, mit Koranversen verzierten Bus, nachdem wir für die vierhundert Kilometer lange Strecke zweihundert Afghani [ungefähr zehn Franken] bezahlt haben. Mit zweiundvierzig Menschen verläßt der Bus Kabul in Richtung Salang-Paß. Je sechs Personen sitzen auf einer schmalen Bank. Einen Durchgang zwischen den Bankreihen gibt es nicht. Wer ein- oder aussteigen möchte, klettert über die Bänke und die Leiber der Mitreisenden. Die Teppich- und Tuchbündel sind auf dem Dach festgebunden. Für einen Mann gibt es keinen Platz im Wagen: für den «Klinar». Er hängt am Heck des vollgestopften Busses an der schmalen Eisenleiter, die zum Dach führt. Warum dieser wichtige Mann auch «Danda-Pandsch» [fünfter Gang] genannt wird, zeigt sich am über dreitausend Meter hohen Salang-Paß. Der kalte Wind treibt Schneefahnen über die asphaltierte Straße, und eine feste Schneeschicht macht den überladenen Lastwagen und Bussen Schwierigkeiten; die Reifen sind durchwegs abgefahren. Im ersten Gang kriechen einige Wagen bergwärts. Andere sind ins Rutschen gekommen und stehen kreuz und quer in der Fahrbahn. Da und dort werden Schneeketten angebracht. Ein schwerer Lastwagen versucht, am äußersten Straßenrand fortzukommen. Immer steht oder geht hinter den Wagen der «Danda Pandsch» mit einem mächtigen Bremskeil an einem langen Stiel, bereit, beim Rückwärtsrutschen sofort den «fünften Gang» einzusetzen. Unser Bus erklimmt die Salang-Paßhöhe ohne Ketten. Mit viel Glück und einiger Tollkühnheit gelingt es dem «Chalifa», seinen Bus zwischen den blockierten Wagen hindurch und oft haarscharf am Abgrund vorbei zu lenken. Zwischen Doschi und Pul-i-Chumbri ertönt ein immer lauter werdendes, schleifendes und schepperndes Geräusch. Der Bus hält an. «Chalifa» und «Klinar» schauen unter den Wagen. Ihre Mienen verraten keine Überraschung. Sie lassen alle Passagiere aussteigen. Getriebeschaden! Meine Hoffnung schwindet, heute noch Mazar zu erreichen, um morgen an einem Buzkaschi teilzunehmen. Kein Fahrgast regt sich auf. Zeit ist hier nicht Geld. Ob wir heute noch nach Mazar kommen werden? «Inschallah!» lautet die Antwort des «Chalifa». Die ölige Kardanwelle liegt auf dem Kies, daneben ein schwerer Hammer, Draht, Schrauben, Eisenstifte, eine Zange, einige Schraubenschlüssel. «Klinar» und «Chalifa» schrauben, hämmern, pröbeln unter dem Bauch unseres einsam vor den Bergen stehenden Busses. Allah ist mit uns! Nach einer guten halben Stunde brummt der Motor zufrieden auf, und die Reise geht weiter.

Weil Ramadhan, Fastenzeit, ist, verlieren wir keine Zeit mit dem Eßaufenthalt. Nur zum Beten hält der «Chalifa» zweimal an. Gegen Abend fahren wir auf buckliger Straße zwischen hohen Lehmmauern in die Oase Taschkurgan. Ein Goldstreifen säumt den weiten Horizont. In die müde und still gewordenen Menschen kommt Bewegung. Junge Männer zünden ihre erste Zigarette an. In der nahen «Tschai-Chana» trägt der «Batscha» Palau und Tee auf. Die erste Mahlzeit, das erste Getränk, die erste Zigarette des Tages. Noch eine Stunde dauert die Fahrt bis Mazar-i-Scharif. Ein «Baba» [alter Mann] zieht eine Flöte aus seinem Mantel und spielt Hirtenweisen. Drei Soldaten, die über das Ende der Fastenzeit Urlaub bekommen haben, singen ein trauriges Lied von einem Mädchen im roten Kleid und grünen Schleier. Satte Menschen sind doch glücklichere Menschen!

Buzkaschi in Mazar

Mazar-i-Scharif ist der bedeutendste Pilgerort Afghanistans. Der vierte Kalife Ali, ein hochgeschätzter Wun-

dertäter und Schwiegersohn Mohammeds, soll dort begraben sein.
Hunderttausende von gläubigen Muslimen besuchen jedes Jahr das «noble Grab». Hunderte von Menschen gehen auch heute durch die Portale des «Mazar-i-Scharif». Es ist Juma, Feiertag. Eine milde Wintersonne glitzert in der märchenhaften Pracht der Keramikwände. Die vierwöchige Fastenzeit wird in den nächsten Tagen beendet sein. Alles freut sich auf den Id, das Ende der harten Prüfung.
Trotz Fastenzeit ist heute Buzkaschi, draußen auf der Steppe von Dascht-e-Schadian. Wir fahren mit dem zweirädrigen Gadi, dem billigen Pferdetaxi, hinaus Richtung Süden. Eine breite Mauer von anderthalb Metern Höhe und achtzig Metern Länge ist die einzige Erhöhung in der Steppe. Den Horizont bilden im Süden blaue Berge, die letzten Ausläufer des Hindukusch, im Norden, rechts und links der Oase von Mazar, geht die endlose Steppe in den Himmel über. Kleine Punkte sind zu sehen. Sie scheinen vom Himmel zu kommen, werden größer, bewegen sich auf uns zu. Es sind Pferde und Reiter. Die Hufe wirbeln Staubfahnen auf, bunte Turbantücher flattern im Wind. Aus immer mehr Punkten werden immer mehr Pferde und Reiter, auch ein paar Esel sind dabei. Ein Schimmel bäumt sich auf, wiehert und leuchtet vor den blauen Bergen wie ein Fabelwesen. Einige Reiter tragen über ihren ledrigen, breitknochigen Gesichtern runde Mützen aus hellem Karakulfell mit einem dunklen Rand: Es sind die Tschapanduz, die hart trainierten Buzkaschikämpfer. Ihre Pferde sind feuriger, edler als die Pferde der turbantragenden Bauern.
Die Zuschauer erklimmen die Mauer. Sie kommen zu Fuß, zu Pferd, mit dem Gadi. Einige vornehme Männer fahren mit einem russischen Geländewagen vor. Sie bringen den Kadaver eines Kalbs mit, um den bald der Kampf entbrennen wird.
Mit Kalk ist mitten vor der Mauer ein Kreis von drei Metern Durchmesser auf den braunen Steppenboden gezeichnet. Rechts und links, im Abstand von zwanzig Metern, sind zwei weitere Kreise gezeichnet, jeder einer Mannschaft zugehörig. In der Mitte des Spielfeldes ist ein vierter Kreis zu sehen, der bei Verstößen gegen die Spielregeln benützt wird. Zwei Männer zerren den Kalbkadaver in den mittleren Kreis.
Ein Ausrufer gibt den inzwischen herbeigerittenen vierzig bis fünfzig Tschapanduz den ersten Einsatz bekannt: hundert Afghani [etwa fünf Franken]. «Los! Los!» schreit der «Dschartschi» [Ausrufer]. In Sekundenschnelle bildet sich über dem Kreis ein Knäuel von Pferde- und Menschenleibern. In das Wiehern der sich aufbäumenden Pferde mischen sich die klatschenden Hiebe der Peitschen, das Stöhnen und die kurzen Rufe der Reiter. Über Gesichter, Hände, Pferdehälse sausen die Hiebe der entfesselten Reiter wahllos nieder. Staub vermischt sich mit Schweiß und Blut. Irgendwo unter dem Gemenge liegt das Kalb. Kühne Burschen tauchen inmitten des Knäuels mit dem Oberkörper hinunter in die dampfende Fleischmasse und versuchen, das Kalb an einem Bein zu packen. Sekunden höchster Erregung! Da, ein Gebrüll, ein Aufbäumen, ein schwarzes Pferd bricht aus dem Knäuel aus. Sein Reiter hält mit beiden Händen das Kalb. Die Zügel fallen lose herunter, die Peitsche ist zwischen die Zähne geklemmt. In rasendem Galopp stürmt das Pferd über die Ebene, verfolgt von dem sich auflösenden Trupp. Von rechts und von links versuchen die Tschapanduz, dem Ausbrecher den Weg abzuschneiden. Der nutzt seinen geringen Vorsprung geschickt aus, umreitet einen eingeschlagenen Pfahl am Ende des Spielfeldes und stürmt in einem gestreckten Galopp mitten durch die Gegner seinem Zielkreis zu. Er führt nun wieder die Zügel, nachdem es ihm gelungen ist, den zentnerschweren Kadaver am Sattel festzubinden und mit dem linken Bein festzuklammern. In einem letzten Kraftakt schüttelt er zwei seiner Verfolger von sich ab

und wirft den Kadaver in den Kreis. Das Gesicht des Siegers, von dem der Schweiß rinnt, entspannt sich. Mit einem Lächeln trabt er vor den Zuschauerwall, wo er aus der Hand des Gutsbesitzers Haddschi-Mokim-Bay einen Hundert-Afghani-Schein entgegennimmt. Das Spiel geht weiter. Der Kadaver ist wieder in den Mittelkreis geschleift worden. Am Rande des Platzes warten die Reitknechte mit den Ersatzpferden. Holt sich ein Tschapanduz nach einer besonders hitzigen Kampfrunde ein frisches Pferd, so tropft vom eben gerittenen der Schweiß. Die Pferdeknechte werfen ihm eine Decke über. Die Einsätze steigen. Der Kampf wird noch härter. «Shamal wardar – shamal hazar Afghanis darad shamal tufang darad!» [wer jetzt Erfolg hat, wird als Champion bezeichnet und ist der Gewinner des Schlußpreises] schreit der «Dschartschi» den Kämpfern zu. Nur ganz selten gelingt es noch einem Tschapanduz, das Kalb über die vorgeschriebene Strecke in seinen Zielkreis zu bringen. Wer wenigstens die Hälfte der Strecke schafft, hat Anspruch auf den halben Preis.
Die Tschapanduz von Mazar-i-Scharif sind Berufsreiter. Sie sind nicht die Besitzer der Pferde, sondern reiten für einen reichen Bay, der die Pferde hält. Für ihre Saisonarbeit – die Spielzeit dauert ungefähr vom November bis zum März – sind sie gut bezahlt. Sie nehmen in dieser Zeit wenigstens fünfzehntausend Afghanis ein. Mit der Stallarbeit haben sie nichts zu tun. Sie sind die Jockeys Afghanistans, verwegene, sehnige Männer mit dem Kampfgeist ihrer Ahnen, die mit ihren Reiterhorden die Welt in Atem hielten.
Gegen das Ende des Spiels ist der Kadaver des Kalbs schrecklich zugerichtet. Ein Bein fehlt, es ist im Kampfe ausgerissen worden. Die Hunde werden sich an dem elenden Haufen gütlich tun. Wie die Menschen nach Dascht-e-Schadian gekommen sind, scheinbar aus dem Nichts, so löst sich nach dem Spiel alles auf. Kein Gedränge, keine Uniformierten, keine Eintrittskarten. Man kommt, freut sich, geht. Niemand braucht für Ordnung zu sorgen. Freie Menschen der Steppe!

Tschingis-Chans Heerlager

Nebel liegt über der endlosen, pastellfarbenen Steppe. Es ist kühl, aber nicht kalt, anfangs Dezember. Der hellblaue russische Geländewagen von Haq-Morat-Bay folgt wenige Kilometer einem trüben Wasserlauf, der sich haustief in den weichen Lößboden eingefressen hat. Es ist die letzte, bald versickernde Wasserader, die von den geheimnisvollen Seen von Band-i-Amir im Hindukusch-Hochland genährt wird, unterirdisch die baktrische Tiefebene erreicht und dort die großen Oasen von Mazar-i-Scharif und Aqtscha bewässert. Karakulschafe weiden in der Nähe des Wassers. Aus ihren Fellen werden die feinen Kullas [Mützen] gefertigt, aber auch die teuren Persianermäntel, die in den Städten der westlichen Welt als Zeichen besonderer Vornehmheit von den Damen getragen werden. Hunderttausende dieser Schafe sind erst im Gefolge der Russischen Revolution nach Afghanistan gekommen. Flüchtende Turkmenenstämme, die um ihre Unabhängigkeit bangten, haben sie mit ins Land gebracht. Pferde, Kamele, Esel tauchen aus dem Nebel auf und werden wieder vom Nebel verschluckt. Da und dort gehen oder reiten Frauen in grell leuchtender Tracht. Kinder sind dabei, die silberne Krönchen tragen. Schon bald zwei Stunden mahlen sich die Räder unseres Wagens durch den weichen Grund. Wenn das noch lange weitergeht, sind wir bald in Rußland.
Der Amu-Darya, der breite Grenzstrom, der am Dach der Welt seine Quelle hat, dürfte nicht mehr ferne sein. Wir kommen aber doch nicht ganz so weit. Der Wagen hält an, und wir klettern ins Freie. Ich muß mir die Augen reiben. Das Bild vor meinen Augen ist

zu phantastisch, um wahr zu sein: Pferde, Pferde, Pferde, so weit das Auge reicht. Dazwischen Kamele, dann und wann ein Esel. Hier bäumt sich ein Rappe auf, dort droht ein Schimmel durchzubrennen. In der Luft vermischt sich das Pferdewiehern mit dem krächzenden Brüllen der Kamele, dem Jammern der Esel und den Rufen von Männern, die versuchen, ihre Tiere an kurzen Holzpflöcken festzubinden. Aus der weiten, nebelverhangenen Steppe treten neue Pferde, neue Kamele, neue Männer hervor in bunten, langen Mänteln, den Kopf vom Turban bedeckt, den «Kamtschin», die kurze Peitsche, in der Hand. Sie schreiten, nachdem sie ihre Tiere angebunden haben, einer mächtigen Mauer zu, die einige Häuser zu umschließen scheint. Vor der Mauer lagern Hunderte von Menschen um kleine Feuer: Männer im Buzkaschi-Alter [zwanzig bis fünfzig Jahre], aber auch Buben und «Babas» mit faltigen Gesichtern. Frauen und Mädchen fehlen. Aufgestellte Schilfmatten halten den Wind ab. Es riecht nach gebratenem Schaffleisch und seltsamen Gewürzen. Händler bieten Melonenschnitze feil, Zuckerbrote, gesalzene Erbsen, Kabab. So müssen Tschingis-Chans Heerlager ausgesehen haben: dieselben kleinen, zähen Pferde, dieselbe weite Landschaft, dieselben verwegenen Männer!
Abseits vom Lager bildet sich ein dichter Kreis von Männern. Ein hinkender Ausrufer mit greller Stimme und einer hohen, schwarzen Fellmütze ruft die Ringkämpfer zum Wettstreit. Mehrere Männer betreten gleichzeitig den Ring. Sechs und mehr Ringerpaare kämpfen mit nackten Füßen auf dem rissigen, staubigen Steppenboden. Haq-Morat-Bay und der bärenstarke Palawan [was Ringkämpfer heißt] sitzen in der Mitte des Zuschauerkreises. Haq-Morat hält ein Bündel Geldscheine lässig in der Hand. Es sind die Preise für die Sieger.
Zum Mittagessen hat der «Allakadar» geladen. Er ist der von der Regierung in Kabul eingesetzte Vorsteher dieser Region. In seinem Gastzimmer sitzen wir in Gesellschaft der Bays und Chans der umliegenden Dörfer mit verschränkten Beinen auf den flachen Kissen bei Palau und Tee. Höhepunkt und Abschluß des Id-e-Ramadhan-Festes in Morsian ist ein Buzkaschi mit gegen fünfhundert Reitern. Der Nebel löst sich auf, hellblau schimmert der Himmel. Die kämpfenden Reiterscharen verlieren sich in der Unendlichkeit des Steppenraumes. Das Buzkaschi hat hier einen andern Charakter als in Mazar-i-Scharif. Hier spielen nur zu einem kleinen Teil berufsmäßige Tschapanduz. Das ganze berittene Volk ist dabei. Viele reiten nur mit, um den Kampf aus der Nähe verfolgen zu können; er spielt sich auch hier zwischen höchstens fünfzig Reitern ab.
Die Paschtunen, die in dieser Turkmenengegend einige Dörfer bewohnen [sie wurden in den dreißiger Jahren aus politischen Gründen angesiedelt], messen sich im Pflockstechen, «naizabazi» genannt. Mit einer langen Lanze versuchen sie, vom galoppierenden Pferd aus einen in den Boden getriebenen Holzpflock auszustechen. Die Sattelfestigkeit dieser Paschtunen ist erstaunlich. «Naizabazi» ist ein altes Kampfspiel von rein kriegerischem Ursprung. Wenn die Paschtunen ein feindliches Zeltlager stürmten, stürzten sie sich mit ihren Lanzen zuerst auf die Zeltpflöcke und brachten durch das Ausstechen dieser Pflöcke die Zelte zum Einsturz.

Ein Buzkaschi, das keiner vergißt

Haddschi-Scher-Mohammad-Bay hat zum Essen eingeladen. Alte, feingeknüpfte Teppiche bedecken den Boden des Gastzimmers, dessen bemalten Wänden entlang wir uns niedergelassen haben. In der Mitte des Raumes knistert ein Feuer in einem runden Blechofen, der zugleich als Samowar dient.

Starker Schwarztee, aus dünnwandigen Porzellanschalen getrunken, beflügelt die Stimmung. Die Namen der kühnsten Tschapanduz werden genannt, vorzügliche Pferde erwähnt: Komait, Torand, Surkhun, Samand, Khatalan.
Der Gastgeber greift zum Tambur, einem Saiteninstrument mit langem Hals. Er singt turkmenische Weisen; sie klingen seltsam klagend, monoton.
«Ist es wahr, daß schon Buzkaschis mit mehr als tausend Pferden gespielt wurden?» möchte ich wissen.
Über Haq-Morats schelmisches Gesicht geht ein Leuchten. Sein Freund Scher-Mohammad erzählt: «Die größten Spiele sind immer dann, wenn der Knabe eines Bays beschnitten wird oder wenn die Kinder eines Bays heiraten. Mein Freund Haq-Morat hat lange auf einen Sohn gewartet. 1966 hat ihm Allah einen Sohn, Mohammad Schah, geschenkt. Mein Freund wußte, was er nun der Gesellschaft schuldig war. Siebenhundertfünfzig Ehrengäste hatte er eingeladen. Sie wurden nicht nur bewirtet, sondern auch noch beschenkt. Am Tag des Hauptfestes empfing man fünftausend Gäste. Hunderte von Tieren wurden geschlachtet, damit sich jedermann sattessen konnte. Nach dem Festmahl gab es ein Buzkaschi. Was glaubst du, wie viele Reiter dabei waren? Mehr als zweitausend! Ein solches Buzkaschi hat man hier noch nie gesehen und wird man so schnell auch nicht wieder sehen.»

Mirza, der Schreiber

Erst nach Sonnenuntergang füllt der «Batscha» [Sohn, gebraucht für Kellner, Diener usw.] die Holzkohlen in das Rohr des Samowars. Es ist Ramadhan, Fastenzeit. Die «Tschai-Chanas» [Teehäuser] waren den ganzen Tag geschlossen. Ein Schuß aus der Ramadhan-Kanone hat den Bewohnern der größten Oase des afghanischen Nordens das Zeichen zum Nachtessen gegeben.
Es ist dunkel, wie die ersten Männer dem Teehaus zuschreiten. Sie kommen allein oder in kleinen Gruppen, in der Hand die Petroleumlampe, auf dem Kopf den Turban und auf dem Leib den bunten, längsgestreiften «Tschapan», den langen Mantel der Turkmenen und Usbeken. Auf den «Tscharpois», tischartigen, mit Teppichen belegten Gestellen, setzen sie sich mit verschränkten Beinen zu Tee und Spiel. Ein Mann sitzt allein. Der «Batscha» bringt ihm ein Krüglein Tee und eine Schale. Der ältere Mann entnimmt einer Tasche seines Mantels Papier und Bleistift. Er beginnt nachdenklich Zeichen hinzukritzeln, dreht das Blatt im Kreise, dreht es immer schneller. Nach einer Viertelstunde ist das Blatt übersät mit Zeichen. Der Mann steht auf, geht zu irgendeinem Gast hin und bittet diesen, seinen Brief zu unterzeichnen. Der Brief wird wortlos gezeichnet, der Mann setzt sich wieder auf seinen «Tscharpoi». Sein Blick geht nun durch den von schwachen Neonröhren erhellten Raum, zu den papierenen Porträts üppiger indischer Filmdivas. Er beginnt zu einem imaginären Publikum zu sprechen, erst leise, dann lauter. Die Gesichtszüge nehmen einen fanatischen Ausdruck an, Arme und Hände bewegen sich zu Gesten, die bald drohend, bald bittend erscheinen. «Er tadelt die losen Sitten», sagt Torealei, mein Freund. «Die Frauenbilder an den Wänden erzürnen ihn!» Die Männer auf den «Tscharpois» rechts und links des seltsamen Schreibers und Redners blicken nicht auf. Schachpartien und Kartenspiele gehen weiter, der «Batscha» bringt grünen oder schwarzen Tee. Mirza, den Schreiber, kennt jeder. Einige erzählen, der Mann sei ein tüchtiger Zollbeamter gewesen. Dann habe er Hirn vom Esel zu essen bekommen und sei so geworden, wie er heute ist. Andere sagen, er habe falsche Medikamente erhalten. Der Mirza leidet zweifellos an einer

Geisteskrankheit. Doch die Gesellschaft stößt diesen Mann nicht aus, sperrt ihn nicht hinter Mauern, sie läßt ihn sein Leben leben. Der Mirza bekommt Geschenke und trinkt Tag für Tag seinen Tee im Teehaus, ohne dafür einen Afghani zu bezahlen. Der Geisteskranke, integriert in der Gesellschaft, der Geisteskranke als «Gottesmensch», dem jeder mit Höflichkeit begegnet. Eine beneidenswerte Gesellschaft!

Kleider für den Fortschritt

Paschtunen wie Tadschiken, Usbeken wie Hazaras, Nuristani wie Kirgisen bekleiden sich mit Pluderhosen aus dünnem Baumwollgewebe, die mit einer Kordel um den Bauch zusammengezogen werden, und einem langen, bis unter die Knie reichenden Hemd.
Die gebräuchliche Kopfbedeckung ist der um die kleine Kulla gewundene Turban, in der Regel ein seidenes Tuch von rund fünf Metern Länge. Die Paschtunen tragen über dem Hemd bestickte, bunte Westen. In der kühlen Jahreszeit werden wollene oder wattierte Mäntel [Tschapan] dazu getragen. Arme Leute müssen sich mit irgendeinem Fetzen Tuch begnügen, den sie um die Schultern legen.
Besonders in städtischen Regionen bevorzugen Männer, die zu den oberen Schichten der Gesellschaft gezählt werden möchten, an Stelle des Turbans eine Mütze aus Karakulfell: je feiner und teurer das Fell, desto besser der Mann.
Die Grundbekleidung des Afghanen ist zweckmäßig, schön und billig; sie wird heute noch vom größten Teil der Bevölkerung getragen. Die Frauen kleiden sich ebenfalls mit Pluderhosen und dem weiten Hemd. Wenn sie sich ins Freie begeben, ziehen sie über alles den bis zu den Knöcheln reichenden Schleier [Tschador], der auch das Gesicht mit einem feinen Gitterwerk verhüllt. Obwohl der Schleierzwang bereits im Jahre 1959 aufgehoben worden ist, hält sich noch ein großer Teil der Frauen an die alten Sitten. «Mehr als die Frauen schätzen die eifersüchtigen Männer den Tschador!» meint mein Freund Torealei. Kutschifrauen und auf dem Feld arbeitende Bauernfrauen verhüllen ihr Gesicht nicht. Taucht unvermutet ein fremder Mann auf, verbergen sie ihr Gesicht in den weiten Falten ihrer losen Tücher.
Die Führungsschicht des Landes betrachtet die traditionelle Kleidung als Zeichen der Rückständigkeit. Den Studenten der Universität und der technischen Hochschule ist das Tragen der landesüblichen Kleidung verboten. Im Khyber-Restaurant in Kabul, einem staatseigenen gastronomischen Betrieb nach internationalem Geschmack, werden afghanisch bekleidete Afghanen nicht bedient, wohl aber europäische Gammler in jedem Zustand der Verwahrlosung. Aus den Ministerien und Amtsstellen in Kabul ist der «Native-Look» verbannt. Ein fortschrittlicher Afghane gibt sich westlich, wenigstens in der Kleidung. Daß westliche Kleidung in den Städten gefragt ist, beweist die zunehmende Zahl von Dukanen [Bazarläden] mit Gebrauchtkleidern. Neue westliche Kleidung ist für die wenigsten Afghanen erschwinglich. Ein durchschnittlicher Anzug verschlingt vier Monatsgehälter eines Arbeiters, nahezu das Salär eines Ministers. Im Gebrauchtkleiderladen ist der Fortschritt billiger zu haben. Ein fast tadelloser Anzug, chemisch gereinigt, mit der Marke «Executive-Shop-Boston», kostet hundert Afghanis. Woher kommt dieser Kleidersegen?
Karitative Organisationen in den Vereinigten Staaten und anderswo erhalten riesige Mengen von Gebrauchtkleidern, die sie nicht verwenden können. Tonnenweise verkaufen sie das Sammelgut an Händler, die das Material reinigen, sortieren und in sogenannte Entwicklungsländer exportieren.
«Ein glänzendes Geschäft!» hat mir ein Amerikaner im Flugzeug gestanden. Zwei bis dreimal jährlich fliegt

er nach Kabul. «Mein Umsatz hat sich in den letzten zwei Jahren verdoppelt!»

Kalte Nacht auf dem Schartenspitz

Die Berge im Süden und Westen des knapp sechstausend Meter hohen Felskolosses Mir-Samir haben keine Namen. Zackige Grate strahlen aus, bilden ansehnliche Gipfel, sind aber auf den eben von russischen Kartographen fertiggestellten Kartenblättern nur mit Höhenzahlen bezeichnet. Ebenso namenlos sind die Bergseen, die auf der amerikanischen «World aeronautical chart», Blatt «Hindukush-Range», als «numerous small lakes» vermerkt sind und meine Aufmerksamkeit schon zu Hause erregt haben.
Berge und Seen ohne Namen sind wie namenlose Menschen: fremd, wenig anziehend. Wenn ich mit einem Menschen in Berührung komme, seine bestimmte, einmalige Erscheinung kennenlerne, möchte ich seinen Namen wissen. Ich möchte nicht Massen, ich möchte Menschen begegnen. Und die haben Namen. Namenlose Berge und Seen muß man benennen. Erst dann kann man von ihnen sprechen. Was soll ich mit P-5268 anfangen? Wir, meine deutschen Kameraden und ich, haben rund um das Tschetoktal ein paar Gipfel und Seen benannt, nur für den Hausgebrauch, versteht sich. Blausee nennen wir den See, bei dem wir, viertausendsechshundert Meter über dem Meeresspiegel, die Zelte aufgeschlagen haben. Nicht sehr phantasievoll, aber die bemerkenswerteste Eigenschaft des Sees ist seine blaue Farbe. Eine Marschstunde östlich, am Fuß heller, granitener Plattenwände, liegt unser Smaragdsee, genau auf der Gipfelhöhe des Montblanc. Der Berg über dem Smaragdsee ist spitz und plattig, darum heißt er bei uns Plattenspitz. Sein Nachbargipfel im Norden, mit dem ihn ein langer, zackiger Grat verbindet, ist kaum weniger spitz, aber durch eine tiefe Scharte gespalten. Was ist naheliegender als der Name Schartenspitz?
Der Grat über unserem Zeltlager hat den hochtönenden Namen Apollograt bekommen. Weshalb? Weil der Botaniker Siegmar Breckle auf fünftausendeinhundert Meter Höhe am Blockgrat einen Apollofalter durch die trockene, kalte Luft schaukeln sah.
Den Plattenspitz besteigen Wilhelm, Horst und ich. Wir bauen einen schönen Steinmann und genießen unseren ersten Fünftausender. Den benachbarten Schartenspitz bezwingen unsere Freunde. Sie rühmen abends im Zelt die saubere Kletterei und berichten vom zackigsten Büßereis, das sie je gesehen hätten.
Der Schartenspitz ist mein letztes Ziel in dieser stillen, zentralasiatischen Bergwelt. Wie wäre es mit einem Biwak auf dem Gipfel? Seit ich eine klare Septembernacht auf dem Matterhorngipfel verbracht habe, weiß ich, daß die Berglandschaft nie eindrücklicher ist als zwischen Tag und Nacht. Ein Gipfelbiwak mit genügender Ausrüstung läßt den Bergsteiger erleben, was er bei einem Notbiwak nie richtig genießen kann: die Einsamkeit, die zauberhaften Übergänge vom Licht zum Schatten, das deutliche Hervortreten entfernter Gipfel im Streiflicht der tiefstehenden Sonne, den Sternenhimmel, der auf solcher Höhe von vollkommener Reinheit ist.
Horst ist von der Idee begeistert. Wir packen unsere Rucksäcke: Daunenjacken, Metakocher, Verpflegung und Biwaksack. Der erste Teil des Weges ist uns vertraut: die Blockhalde zum grünen Auge des Smaragdsees, die leichte Kletterei hinauf zum «Col de Désespoir», wo wir uns bei der ersten Erkundungsfahrt entschlossen hatten, auf den Mir-Samir zu verzichten. Vom Col, der rund fünftausend Meter hoch liegt, steigen wir in ein Tal ab, das in der gleichen Ost–West-Richtung verläuft wie unser Tschetok-Tal. Ein kleiner Gletscher zieht sich nordseits dem Schartenspitz zu. Durch brusthohe, nadelspitze Eisgebilde, die als Büßer-

schnee bekannt sind, bahnen wir uns den Weg zum Gipfelaufbau. Feste, rauhe Granitplatten machen das Klettern zum Genuß. Wir seilen uns nicht an, denn die Schwierigkeiten überschreiten den dritten Grad nicht. So kann sich jeder nach Lust und Laune den Weg suchen, sich in Risse verklemmen, an scharfen Plattenkanten hochhangeln oder durch tiefe Kamine emporstemmen. Im späten Nachmittag drücken wir uns auf dem schmalen Gipfelblock die Hand. Kaum ein Lüftchen regt sich. Die Seelein zwischen den alten Moränenzügen flimmern im Licht, und der dunkelblaue Himmel wölbt sich über einem Ozean von Spitzen und Graten, aus dem nur die nahe Felsmasse des Mir-Samir als Insel aufragt. Im Osten, gegen Pakistan zu, tragen die Wellenspitzen weiße Schaumkronen: Das sind die Sechs- und Siebentausender des hohen Hindukusch mit ihren Gletschern und Firnen.
Mit dem Abend erwacht ein frostiger Wind. Er bläst die rote Biwakhülle auf dem Schartengrund zum Ballon auf und läßt die blassen Flämmchen der Metatabletten immer wieder ersterben. Dutzende von Streichhölzern verkohlen, ehe zwei Tassen Tee durch die ausgetrockneten Kehlen rinnen. Die Gipfelscharte bietet uns zwar einen fast ebenen Sitz- und Liegeplatz, doch kaum Schutz vor dem Wind. Im Gegenteil: Der breite Spalt der Scharte wirkt wie ein Kamin, er scheint den ganzen Wind anzusaugen. Zahllos wie die Gipfel sind die Sterne. Ich wünschte mir ein astronomisches Fernrohr, um all die Planeten, Spiralnebel und Fixsterne aufzuspüren, von denen ich in der Schule gehört hatte. Sternschnuppen sinken wie Feuerwerk dem Horizont zu.
Feuerwerk? Sind nicht im Rucksack noch Signalraketen, die wir zum Glück nie gebraucht haben? Wir kriechen aus dem Biwaksack, suchen die Raketen zusammen und klettern vorsichtig auf den höchsten Punkt. Da lassen wir mit kindlicher Freude unsere grünen, roten und blauen Raketen zum Himmel steigen. Unsere Freunde im Zeltlager am Blausee werden hoffentlich das seltene Schauspiel richtig würdigen.
Der klaren, beißend kalten Nacht [um fünfzehn Grad unter Null] folgt ein goldener Morgen. Das Wasser in der Blechflasche ist im Biwaksack zu Eis gefroren. Der Mir-Samir zeigt im Morgensonnenschein seine feinsten Schründe und Risse. Eine halbe Stunde nach Sonnenaufgang krachen die ersten Steinlawinen durch seine steilen Rinnen.
In Gedanken sehe ich die Fortsetzung des Zackenmeers im Osten und im Norden: Karakorum, Himalaja, Pamir, Tibet! Ich bin überglücklich, auf dem Schartenspitz, am Rande der großen Weltberge zu sitzen.

Arzt müßte man sein

Die Straße von Taluqan nach Faizabad – auf der Touristenkarte des Landes mit einem dicken roten Strich eingezeichnet – ist ein holpriger Karrenweg. Ich fahre den Landrover im zweiten Gang, vorsichtig den tiefsten Löchern und Gräben ausweichend. Am heikelsten sind die Tschui-Brücken zu befahren, jene steilen Wälle aus Lehm, welche die Bewässerungskanäle überdecken. Zwischen Straße und Koktscha-Fluß sind Kulturen angelegt: Mais, Hirse, Luzerne. Die Bauern wohnen in runden Strohhütten. Ein Mann winkt uns. Wir begeben uns zu seiner Jurte. Er heißt uns eintreten. Auf dem hellen Lehmboden liegt ein Knabe von vielleicht zehn Jahren. Seine Augen sind fiebrig. Sein rechtes Bein ist umwickelt mit grünen Blättern. «Der Bub ist vor drei Tagen gestürzt», sagt der Vater, «jetzt ist sein Bein kaputt. Er hat starke Schmerzen. Was können wir tun? Sicher ist der Bay ein Arzt. Helft uns bitte!» Unter dem Laub kommt dunkelrot und dick geschwollen das Knie zum Vorschein. Der Arme kann das Bein nicht bewegen. Er weint vor Schmerz. Schlimm sieht das aus. «Spital, Operation!» Geht es

mir durch den Kopf. «Aber wo und wie kommt der Bub dorthin?»
Azizullah holt aus dem Landrover die große Apotheke. Wenn ich auch nicht viel helfen kann, muß ich doch etwas tun, den Leuten zureden, Tabletten und gute Ratschläge geben. Zuerst einmal Schmerztabletten. Aziz zählt dem Vater sechs Tabletten in einen Briefumschlag. «Er soll jetzt eine Tablette nehmen, hinunterschlucken, dann Tee trinken. Gegen Abend noch eine Tablette.» Was weiter? Vitamin-C-Brausetabletten, das kann nicht schaden. Wir haben da so schöne Ärzte-Muster, jede Tablette in Cellophan verpackt. Nun aber das Wichtigste: das Bein fixieren! Mit Tüchern, Verbandstoff, elastischen Binden und festen Schilfstäben machen wir das so schön, wie es im Samariterkurs gelehrt wird.
«Ist in Faizabad ein Spital oder wenigstens ein Arzt?» Nach Faizabad sind es nur zwanzig Straßenkilometer. Der Mann nickt, Azizullah nickt, und ich denke, daß die Hauptstadt einer Provinz, die so groß wie die ganze Schweiz ist, wohl sicher eine ärztliche Betreuung habe. «Packen Sie den Buben auf ein Kamel, so schonend wie möglich, binden Sie ihn fest und bringen Sie ihn zum Doktor!» Azizullah übersetzt meine Anweisungen. Der Bauer schöpft Hoffnung, sein armer Sohn am Boden versucht ein Lächeln. «Tschai?» Ob wir Tee trinken möchten?
Wochen später, in Kabul, erkundige ich mich nach dem Spital von Faizabad. «Dort gibt es überhaupt nichts dergleichen», klärt mich ein Kabuler Arzt auf. «Es war einmal ein Arzt dort, der ist aber bald wieder in die Hauptstadt gezogen. Was soll ein Arzt dort machen? Ohne Medikamente, ohne elektrischen Strom, bei der Armut der Leute, die den Doktor nicht bezahlen können? Die Leute glauben ohnehin dem Mullah mehr als dem Doktor. Es gibt in Faizabad nur einen Bader, der Zähne zieht und notfalls auch ein Bein absägt.»

Wenige Kilometer hinter Kalat, an der asphaltierten Straße Kandahar–Ghazni–Kabul, zermahlen Kamele geduldig jene struppige, zähe Pflanze, die Kameldorn heißt. Hinter den Tieren sind schwarze Zelte sichtbar. Drei Männer beobachten, wie ich die Kamele fotografiere. Sie kommen auf mich zu. Ein graubärtiger Baba ist dabei, die andern scheinen recht jung zu sein. Sie tragen Gewehre in der Hand. Um den Bauch haben sie Patronengurten geschnallt.
«Allah ist groß!» sagt der Baba, «Er hat euch hier vorbeigeschickt, damit ihr uns helft. Eines unserer Kinder ist sehr krank, es weint den ganzen Tag, es wird sterben!» Mit Azizullah folge ich den Männern zum Lager. Frauen in roten Tüchern kauern vor den Zelten: Eine knetet Brotteig, eine andere spinnt Wolle. Der Baba verschwindet in einem Zelt und kommt mit einem wimmernden Kind im Arm zurück. Es ist ein Mädchen, noch nicht ein Jahr alt. Die großen, dunkeln Augen des Kindes sind eiterig verklebt und angeschwollen. Eiter rinnt aus beiden Ohren. Das Kind ist so geschwächt, daß es kaum mehr zu schreien vermag. Was läßt sich tun? Leider wenig. Ich bin kein Arzt. Ärzte sind rar in Afghanistan. Wie viele Kinder sterben hier, bevor sie das erste Lebensjahr vollendet haben? «Inschallah!» Wenn Gott will! Will Gott wirklich, daß kleine Kinder sterben? Nur weil es keine richtige Pflege, keine Ärzte, keine Medikamente gibt? Vielleicht können Antibiotika noch helfen. Ich suche das mir am geeignetsten scheinende Präparat. Dazu die unvermeidlichen Brausetabletten. Azizullah übersetzt meine Anweisungen. Ich betone immer wieder, daß die Dosis genau eingehalten werden muß. Mein Gott, was geschieht, wenn sie dem armen Würmchen zuviel auf einmal geben?
Die Männer haben stark entzündete Augenlider, ein bei Nomaden sehr verbreitetes Leiden. Staub, Sand und Sonnenglut werden daran schuld sein. Jeder bekommt eine Augensalbe.

Die Sonne versinkt hinter den nahen Bergkamm. Buben treiben die Kamele, Schafe und Ziegen zusammen. Der Aufbruch wird vorbereitet. Unter dem Schutz der Nachtkühle wandert die Sippschaft bald zum nächsten Weideplatz. Ein fiebriges, wimmerndes Mädchen wird auf ein Kamel gebunden werden und sein kaum hörbares Klagen im Schlurfschritt der Kamele ersterben.

129 Einwohner des Dorfes Golaki versuchen, über den reißenden Koktscha-Fluß ein Fährenseil zu spannen. Die Männer benützen dazu ein Floß aus aufgeblasenen Ziegenhäuten [Ziegenbalgkellek]. Als Schutz vor dem Ertrinken haben sie sich hohle Kürbisse umgebunden.

130, 131 Über eine schmale Holzbrücke im Logartal bewegt sich eine Transportkarawane. In den für das Auto noch nicht erschlossenen Gebieten besorgen die Kutschi mit ihren Kamelen alle möglichen Warentransporte.

132 Tschai-Chana in Taluqan. In der heißen Jahreszeit sind die hölzernen Sitzgestelle [Tscharpoi] im Freien, im Schatten der Maulbeerbäume aufgestellt.

133 Über den Dächern von Kabul kracht während der vierwöchigen Fastenzeit [Ramadhan] ein Kanonenschuß, sobald die Sonne hinter dem Paghman-Gebirge versunken ist. Es ist das Zeichen für die Gläubigen, daß sie bis morgens um vier Uhr wieder essen, trinken und rauchen dürfen.

134, 135 Kabul erwacht. Die bald eine halbe Million zählende Hauptstadt Afghanistans liegt am Rande des Gebirges auf 1800 Meter Meereshöhe. Der Kabulfluß, in der heißen Zeit ein schütteres Rinnsal, schlängelt sich durch das Häusergewirr.

136 Bunte Autobusse verbinden Kabul mit allen größeren Ortschaften des Landes. Eine Eisenbahn gibt es nicht. Das Straßennetz ist seit 1956, dem Beginn des ersten Fünfjahresplanes, stark ausgebaut worden.

137 Bazarstraße in Kabul. Handwerk und Kleinhandel beherrschen die Szene, jedermann hat etwas zu verkaufen.

138 Mühle im Hazaradschat. Weizen, Roggen und Gerste werden bis auf dreitausend Meter Meereshöhe angebaut. Brot und Tee sind die Grundlage der Ernährung.

139, 140, 141 Bäckerei in Kabul. Weit verbreitet sind die dunkeln und sehr schmackhaften Fladenbrote, die an den Wänden einer Feuergrube gebacken werden.

142 Getreideverkauf in Samangan. In Afghanistan wachsen mehr als hundert verschiedene Weizensorten. Der im Regenfeldbau gewonnene Weizen erzielt seines hohen Proteingehaltes wegen einen höheren Preis als der auf bewässerten Feldern gezogene.

143 Silberschmied in Istalif. Schmuck ist sowohl bei den Paschtunen wie bei den Turkmenen beliebt, die Stellung des Silberschmieds entsprechend geachtet. Silber, Lapislazuli und Achat werden am häufigsten verarbeitet, Gold hingegen selten.

144 Vogelbazar in Kabul. Bevorzugte Handelsobjekte sind die Wachteln, welche die Männer für Vogelkämpfe abrichten.

145, 146, 147 Das billigste Transportmittel ist in Kabul der Mensch. Tausende von Hazaras – mongolischstämmige Bergbewohner des nach ihnen benannten Hazaradschat – schleppen in Sommerglut und Winterfrost die schwersten Lasten durch die Hauptstadt.

148 Hazara – Wasserträger. Der Name Hazara soll vom persischen Wort für Tausend abgeleitet sein und an die Tausendschaften des Tschingis-Chan erinnern.
149, 150, 151 Die Tuchfärber sind mit dem Färben der Baumwollstoffe beschäftigt, aus denen die eng gefältelten Schleier der Frauen genäht werden. Der

Schleierzwang ist seit 1959 abgeschafft, aber die meisten Frauen wagen sich nicht ohne ihren «Tschador» auf die Straße, wie die vier Frauen im «Dukan» des Schneiders.
152 Unergründlicher Blick aus dem Schleier der Afghanin. Ein reiner Gegensatz zum Exhibitionismus der westlichen Zivilisation.

Alltag und Feste

Pierre Centlivres

Dem Reisenden, der die Mannigfaltigkeit der Landschaften und Klimata empfindet, springt die wohl noch größere Vielfalt der Menschengruppen und ihre verschiedenartige Lebensweise geradezu ins Auge. Er begegnet diesem Phänomen überall, mag er sich nun mitten ins Menschengewühl der Großstädte stürzen oder das Land durchstreifen. Die Geschichte und die großen Zivilisationen der Nachbarländer haben zahlreiche Völker und Gebräuche ins Land gebracht, und so ist Afghanistan ein Mosaik verschiedener Kulturen geworden. Die großen Invasionen der Steppenvölker Mittelasiens, die Feldzüge der Perser und Griechen, die Nähe Indiens, das friedliche Durchziehen der Karawanen durch diesen Knotenpunkt asiatischer Straßen, all das hat beigetragen zur Prägung einer Nation mit vielen Gesichtern, deren Geheimnisse es nun zu enthüllen gilt.

Völker und Sprachen

Die Bevölkerung Afghanistans ist von großer ethnischer Vielfalt und stellt gleichsam einen Querschnitt jener asiatischen Völker dar, die im Hochland von Iran, in Mittelasien und in gewissem Maße auch auf dem indischen Subkontinent leben. Vielerlei Probleme ergeben sich aus Abstammung und Geschichte dieser verschiedenen Volksgruppen, und doch fehlt bei keiner ein ausgeprägtes Bewußtsein ihrer eigenen und der fremden Identität. Für den Außenstehenden sind die Unterscheidungsmerkmale gewöhnlich Sprache sowie Gebräuche und äußere Erscheinung. In Afghanistan gibt es etwa dreißig verschiedene Sprachen, wobei die meisten und auch vom größten Teil der Bevölkerung gesprochenen der iranischen, also der indo-europäischen Sprachfamilie angehören.
Von den Paschtunen oder Afghanen hat das Land seinen Namen erhalten. Ihre Sprache gehört zur öst-

lichen Gruppe der iranischen Sprachen und ist erste Landessprache. Die Paschtunen leben im südöstlichen und östlichen Teil Afghanistans, in der Nachbarschaft der pakistanischen Pathanen, und stellen mit etwa 6 bis 7 Millionen [wovon 2 Millionen Nomaden] die zahlreichste Bevölkerungsgruppe dar. Die sozialen Gemeinschaften gliedern sich in Stämme oder in Sippen, die gewöhnlich den Namen eines gemeinsamen Vorfahren tragen. Die zwei größten Stammesverbände sind die Ghilzais, die um Ghazni und bis zu den Gebieten östlich von Kandahar siedeln, und die Durranis, aus denen sich Afghanistans Herrscherdynastie rekrutiert hat; sie bevölkern das Gebiet von Kandahar und den Südwesten des Landes. Die Paschtunen findet man auch im Süden von Kabul, in der Gegend von Dschelalabad, um den Schibar-Paß und im Kunar-Tal. Während der afghanischen Kriege, die aufgrund der britisch-russischen Rivalität während des ganzen 19. Jahrhunderts immer wieder aufflackerten, leisteten sie den Engländern erbitterten Widerstand. Die Paschtunen-Nomaden mit ihren schwarzen Zelten ziehen zwischen ihren Winterstandorten in den warmen Gebieten von Pakhtia oder Laghman und den Sommerweiden im Hindukusch hin und her und treiben Handel mit Vieh, Milchprodukten und Fertigerzeugnissen aus Pakistan, die sie im Sommer der seßhaften tadschikischen oder hazarischen Bevölkerung der Gebirgstäler verkaufen. Seit Ende des vergangenen Jahrhunderts haben die Herrscher in Kabul eine Anzahl von Paschtunen-Stämmen im Norden des Hindukusch angesiedelt. Sie verfolgten dabei einen doppelten Zweck: einerseits unstete Elemente seßhaft zu machen und anderseits inmitten einer usbekischen Bevölkerung, die vor nicht langer Zeit der Zentralgewalt unterstellt worden war, andere Völker anzusiedeln. Die Paschtunen, mögen sie nun Ackerbauern oder Viehzüchter sein, sind von Natur aus kriegerisch und sehr freiheitsliebend. Verständlich, daß sie sich der staatlichen Kontrolle nicht immer gefügt haben. Ihre internen Probleme möchten sie selbst nach ihrem eigenen traditionellen Stammesrecht regeln, das sie für Zivil-, Straf- und politisches Recht besitzen. Dieses Gesetzbuch, der *puschtunwali*, räumt den Regeln der Ehre, der Gastfreundschaft, des Schutzes der Verbündeten, der Bestrafung aller Verstöße gegen Hab und Gut, gegen Frauen und Sitten einen ganz besonderen Platz ein. Stammeskonflikte können bei Versammlungen der Großfamilien-Oberhäupter, der *dschirga*, beigelegt werden.

Viele Paschtunen sind von großer Statur und haben weiche schwarze, manchmal bis zur Schulter herabwallende Haare. Die Gesichtszüge sind markant, der Teint ist gebräunt, der Blick lebhaft, und seine Schärfe wird noch durch die Verwendung von *kohl* unterstrichen. Sie ernähren sich hauptsächlich von Milchprodukten und Gemüse und werden deshalb von ihren Nachbarn *alafkhor*, Kräuteresser, genannt, im Gegensatz zu den Bewohnern des Nordens, die man als *khamirkhor*, Teigwarenesser, bezeichnet.

Die Tadschiken sprechen Dari, ebenfalls eine iranische Sprache, die zweite Landessprache. Sie ähnelt dem Tadschikischen, das in der Sowjetrepublik Tadschikistan gebräuchlich ist, und unterscheidet sich vom modernen Persisch des Irans fast nur durch eine andere Aussprache. Die Tadschiken leben hauptsächlich in allen großen Städten, mit Ausnahme von Kandahar, in den östlichen Tälern des Landes, in Badachschan, in der Gegend von Herat und in den nördlichen Gegenden Afghanistans, wo man sie etwa in gleicher Anzahl [3 bis 4 Millionen] wie die Usbeken findet. Sie sind weder eine Rasse noch eine Gruppe von Stämmen, sondern stellen wahrscheinlich mit ihren Handwerkern, Händlern und Ackerbauern den ältesten Grundstock der autochthonen Bevölkerung dar. Ihre Sprache ist die Verkehrssprache des ganzen Landes. In der äußeren Erscheinung ähneln sie den Bewohnern des östlichen Mittelmeerraumes. Die in kleiner Zahl in den Gebirgstälern des äußersten Nordostens des Landes lebenden Tadschiken des Pamir sprechen eine archaische iranische Sprache. Die Beludschis, Nomaden und Halbnomaden des Südens von Afghanistan, die in der Nachbarschaft des pakistanischen Beludschistan leben, sprechen ebenfalls eine iranische Sprache.

In den Straßen von Kabul begegnet man gedrungenen Männern mit Schlitzaugen und hervorstehenden Bakkenknochen. Ihr Kopf ist mit einem weißen Turban bedeckt. Sie ziehen schwer beladene zweirädrige Karren hinter sich her oder tragen ungeheure Lasten auf dem Rücken. Es sind die Hazaras, ein sehr aktives und arbeitsames Volk. Sie kommen von den Hochebenen des mittleren Hindukusch, wo ein rauhes Klima herrscht und der kärgliche Boden den Bewohner nicht immer ernährt. Ein gut Teil seines Lebens bringt der Hazara in den großen Städten – meistens in Kabul – zu, um dort seinen Lebensunterhalt zu verdienen. Sein Dialekt, das *Hazaragi,* ist eine persische Mundart, in der türkische und mongolische Worte vorkommen. Es spricht manches dafür, daß bei der Entstehung dieser ethnischen Gruppe türkisch-mongolische Elemente mitgespielt haben, besonders in der Zeit, die zwischen der Epoche Tschingis-Chans und Tamerlans liegt. Bis zum Ende des 19. Jahrhunderts, als Emir Abdul-Rahman sie der Staatsgewalt in Kabul unterstellte, hatten sie gegenüber allen fremden Herrschern ihre Unabhängigkeit bewahrt. Im Gegensatz zu den sunnitischen Bewohnern Afghanistans sind die Hazaras – etwa eine Million an der Zahl –, meistens Schiiten und glauben, daß die Imams die rechtmäßigen Nachfolger Alis seien und ihre Linie bis auf seine unmittelbaren Nachkommen zurückgehe. Das ist unter anderem ein Grund, warum sie von der übrigen Bevölkerung bis in die jüngste Zeit immer etwas verachtet wurden. In ihrem Gebiet, im Hazaradschat, leben sie von einem armseligen Gebirgsackerbau und von der Aufzucht von Weidevieh.

Auch die Kizilbaschen sind Schiiten und sprechen persisch. Sie kamen durch den Perserkönig Nadir Schah Afschar am Anfang des 18. Jahrhunderts ins Land und leben heute hauptsächlich in den Städten; viele von ihnen sind Gebildete, Ärzte oder Kaufleute.

Im Westen des von den Hazaras bewohnten Gebietes, um die frühere Hauptstadt der Ghoriden-Dynastie, in den Bergen östlich von Herat, lebt eine relativ bedeutende halbnomadische Viehzüchtergruppe mit etwa 800 000 bis 900 000 Angehörigen, die *Tschahar Aimaq.* Sie besteht aus vier großen Stämmen mit einer Bevölkerung iranischen Ursprungs, die persische Dialekte spricht. Sprachlich und kulturell ist sie von Mittelasien her und auch von den Paschtunen Duranis beeinflußt. Die Aufteilung in vier Gruppen geht wahrscheinlich auf die timuridischen Herrscher zurück.

Im Osten des Hindukusch, in dem an den pakistanischen Swat grenzenden Gebirge, lebt ein Volk, das bis zum Ende des 19. Jahrhunderts *kafir,* also heidnisch geblieben war. Um ihre Bekehrung zum Islam kundzutun, gab der afghanische Herrscher, der ihr Land eroberte, diesem den Namen Nuristan, das heißt Land des Lichtes. Die Nuristani [60 000 bis 80 000] gliedern sich in mehrere Stämme. Ihr Siedlungsgebiet ist so unzugänglich, daß sie bis zu jener Zeit von jeglicher Eroberung verschont geblieben waren. Ihre sehr archaische Sprache nimmt im Indo-Iranischen eine Sonderstellung ein. Bei diesen hochgewachsenen Bergbewohnern, deren Gesichtszüge oft als europäisch bezeichnet wurden, findet man nicht selten helles Haar und blaue Augen. Sie leben von einer Mischwirtschaft. In den niedriger gelegenen Talgegenden treiben sie Terrassen-Ackerbau, der allein den Frauen obliegt, und auf den höher gelegenen Weiden Viehzucht. Dieses waldreiche Land, das an unsere Alpen erinnert, hat eine bemerkenswerte Holzverarbeitungskunst erblühen lassen. Man findet Tore, Säulen, Gräber und Stühle, verziert mit Schnitzereien, die geometrische und sym-

bolische Motive tragen. Die Verwendung des Stuhls im Orient ist etwas Einzigartiges und galt bei den Kafiren als Machtsymbol der Stammesoberhäupter.
Zu erwähnen sind auch noch kleinere Gruppen, die indische Sprachen sprechen, zum Beispiel die Sikhs und die Hindus, die als Händler und Geldwechsler in den großen Städten des Landes leben, und die Dschats, die Zigeuner Afghanistans. Auch die Brahuis dürfen nicht vergessen werden. Es sind die Nomaden im äußersten Süden Afghanistans, die eine drawidische Sprache sprechen.
Der Norden des Hindukusch gehört zu einem Kulturkreis, der nicht an der Grenze des Amu-Darya aufhört. Es ist jener des afghanischen, sowjetischen und chinesischen Turkestans. Die drei Völker, die im afghanischen Turkestan vorwiegend vertreten sind, Usbeken, Tadschiken und Turkmenen, finden wir auch jenseits der Grenze in den Sowjetrepubliken Usbekistan, Tadschikistan und Turkmenistan. Wie der Name schon besagt, ist Turkestan das Gebiet der türkischen Sprachen, die insbesondere von den Usbeken [ungefähr 1 Million Menschen], den Turkmenen [300000 bis 400000] und den Kirgisen des Pamir gesprochen werden.
Die Usbeken, die sich oft mit den Tadschiken vermischt haben, sind Ackerbauern, Handwerker und Viehzüchter. Besonders zahlreich leben sie in den Gegenden Maimana, Mazar-i-Scharif und Kunduz. Viele von ihnen sind die Nachkommen von Eroberern, die im 16. Jahrhundert von der anderen Seite des Amu-Darya gekommen waren. Im 18. Jahrhundert hatten sie unter der Herrschaft von unabhängigen Khans in den Städten am Fuße des nördlichen Hindukusch eine Reihe von kleinen Staaten gebildet. Diese Khanate wurden gegen 1850 vom Herrscher von Kabul annektiert.
Die Turkmenen sind Züchter von Karakulschafen, deren Fell eine der wichtigsten Einkommensquellen Afghanistans ist. Die turkmenischen Frauen knüpfen die berühmten Teppiche, die in Europa unter dem Namen Buchara oder Mauri bekannt sind. Die Turkmenen vermischen sich kaum durch Heirat mit ihren tadschikischen Nachbarn und haben ihre mittelasiatischen Züge, wie zum Beispiel die Schlitzäugigkeit, die hervorstehenden Backenknochen und die spärliche Behaarung, bewahrt. Sie leben in einigen Regionen im Norden von Herat und in einem Gebietsstreifen, der vom Norden Maimanas bis zum Norden von Kunduz entlang der sowjetischen Grenze verläuft. Größtenteils sind sie Halbnomaden, die im Winter in Lehmhütten-Dörfern der Amu-Darya-Ebene wohnen. Im Sommer hingegen leben die Männer in Felljurten auf den höher gelegenen Weideplätzen. Sie sind ausgezeichnete Reiter, und ihre Pferde rühmt man von Persien bis Indien.
Die Bestandsaufnahme der Völker Afghanistans wäre nicht vollständig, erwähnte man nicht die in der Gegend von Herat lebenden Mongolen. Auch Araber treffen wir an – einige Tausende, abstammend von jenen Arabern, die im siebten bis achten Jahrhundert Mittelasien eroberten. Man findet sie im Gebiet von Balch und Taschkurgan, wo sie Ackerbau treiben. Einige von ihnen haben ihre ursprüngliche Sprache beibehalten.
Wie ein afghanischer Gelehrter, Abdul Rawan Farhadi, bemerkte: «Im übrigen haben die Bevölkerungsbewegungen in den aufeinanderfolgenden Jahrhunderten ein interessantes Mosaik hinterlassen. Das östlichste semitisch sprechende Volk der Welt, das südwestlichste mongolisch sprechende, das nördlichste drawidisch sprechende, die südlichste der westlichen und östlichen Untergruppen der turksprachigen Völker des eurasischen Kontinentes findet man in diesem Land. Für einen Gelehrten, der die Geschichte der Sprachen dieses Kontinents studiert, ist Afghanistan ein wahres Paradies – hier beginnt alles, hier endet alles.»
Einige jüdische Kolonien hat es seit dem 12. Jahrhundert zumindest in bestimmten Städten Afghanistans

gegeben; man findet sie auch heute noch in Herat, im afghanischen Turkestan und in Kabul. Damals schon waren diese Juden Juweliere, Färber und Geldwechsler.
Will der Experte die verschiedenen ethnischen Komponenten bestimmen, so nimmt er unter anderem die Geschichtswissenschaft und die physische Anthropologie zu Hilfe. Der Bewohner Afghanistans beurteilt die Identität seiner Gruppe oder der Nachbargruppen nach ganz anderen Gesichtspunkten. Er bestimmt sie nach der geographischen Umgebung und besonderen kulturellen Merkmalen; er spricht also von *herati,* den Bewohnern von Herat, von *kabuli,* den Bewohnern von Kabul, von *kutschi,* Nomaden, von *pandschiri,* den Bewohnern des Pandschir-Tals. Nur die entfernter liegenden Gruppen werden kollektiv *usbeki* und *turkmeni* genannt. Ausschlaggebend für die Unterscheidung dieser verschiedenen Gruppen ist die Art, sich zu kleiden, sich zu ernähren, ja sogar der Gang und auch die Sprache, und nicht die Zugehörigkeit zu einer abstrakten ethnischen Gruppe, wie wir sie verstehen.
In Taschkurgan erzählt man sich folgende Anekdote: Vier Gäste, die verschiedenen Kulturgemeinschaften angehören, sitzen um ein reich gedecktes Tischtuch herum. Woran erkennt man ihre Zugehörigkeit? Antwort: Der Araber ißt dicke Milch, der Afghane einen Salat und eine Zwiebel, der Tadschike Pilaw und Fleischpastete, der Usbeke von allem etwas.

Der Bazar

In seiner einfachsten Form besteht der Bazar aus der Hauptstraße eines Ortes, die auf beiden Seiten mit Buden gesäumt ist und die sich zweimal wöchentlich an den *ruz-e bazar* – den Bazartagen – belebt. In den bedeutenderen Zentren wird der traditionelle Markt in der Stadtmitte, am Treffpunkt der Hauptstraßen, abgehalten. Die Sträßchen der Kaufleute und Handwerker waren früher in den großen Bazaren von Ziegelgewölben, in den einfacheren von Schilfmatten überschattet, so daß die Kundschaft vor der glühenden Sonne geschützt war. Heute finden sich nur noch wenige gedeckte Bazare – einer in Taschkurgan –, bei den anderen wurden die Überdachungen abgerissen und die Straßen erweitert.
In den Straßen und Gäßchen sind die verschiedenen Gewerbe nach Gruppen geordnet; so gibt es eine Straße der Kurzwarenhändler, eine der Goldschmiede und eine der Sattler. Im übrigen ändern sich die Standorte der verschiedenen Handwerke kaum. In der Mitte, meistens um die große Moschee, wo sich die Gemeinschaft der Gläubigen am Freitag versammelt, gehen die wohlhabenden Kaufleute ihren Geschäften nach. Hier wirken auch die sogenannten «sauberen» oder «edlen» Berufe: Tuchwarenhändler, die importierte Stoffe verkaufen, Kurzwarenhändler, Drogisten, Verkäufer von bestickten Mützen, Juweliere. Weiter entfernt vom Zentrum halten sich die Handwerker auf, oft in der Nähe eines Flusses oder Kanals, der für die Ausübung ihres Handwerkes unentbehrlich ist. Und noch weiter weg sind die unwürdigen oder elenden Gewerbe, wie etwa die Schuhflicker, die Färber, die Ölverkäufer, die Vogelsteller [der Vogelhändler, der die Vögel für die Rebhuhn- und Wachtelkämpfe liefert, steht in schlechtem Ruf, da solche Spiele für die streng Gläubigen verboten sind]. Außerhalb des Bazars findet man schließlich die Werkstätten, die in dem Rufe stehen, lärmend zu sein oder übel zu riechen, die der Gerber und Töpfer [die wegen des Ofenrauches hierhin verbannt sind] und all jene, die in der Enge der Gassen keinen Platz fänden: Mühlen, Ölpressen und schließlich auch die weiblichen Beschäftigungen [Textilarbeiten], die nicht mit zu den öffentlichen, hauptsächlich den Männern vorbehaltenen Gewerben des Bazars zählen.

Die Kolonialwaren-, die Gemüsehändler und die Fleischer haben keinen streng abgegrenzten Standort; sie bauen ihre Buden am liebsten dort auf, wo die Kundschaft herbeiströmt, etwa in der Nähe der Bazareingänge. Ebenfalls an den «Pforten» des Bazars findet sich das, was man Dienstleistungsgewerbe nennen könnte, also all jene Einrichtungen, die Unterkunft, Essen und Trinken bieten oder in anderer Weise für das körperliche Wohl des Reisenden oder der Kundschaft vom Lande sorgen.

Zweimal in der Woche, meistens montags und donnerstags, strömen die Bauern aus den Dörfern in die Stadt. Einige dieser Dörfer sind mehr als 30 Kilometer entfernt; aufgebrochen wird schon vor dem Morgengrauen, oft zu Fuß, manchmal auf dem Rücken eines Esels und zuweilen auch zu Pferd, wenn man ein wohlhabender Viehzüchter oder Landbesitzer ist. Die Bauern wollen ihr überschüssiges Getreide verkaufen, um sich Salz, Zucker, Tee, hin und wieder auch ein Werkzeug oder ein Stück Stoff zu beschaffen. Im Winter begegnet man Leuten, die ihre Esel oder Kamele mit Gestrüpp bepackt haben, das sie als Brennmaterial verkaufen. Die Viehzüchter und Viehhändler treiben von Bazar zu Bazar Herden von Eseln, Kühen und Schafen, die sich je nach den getätigten Abschlüssen noch vergrößern. Die meisten Schafe werden im Herbst zum Markt getrieben, wenn die Städter sie kaufen, um sie zu Hause zu mästen und so ihren Winterfleischvorrat zu sichern, aber auch an den Vortagen jener großen Feste, an denen man Schaffleisch verzehrt. Die Gärtner tragen ihr Gemüse zum Markt; ihre Kulturen sind besser bewässert als die weiter entfernt gelegenen Felder. Die Stadt wird zweimal wöchentlich von den herbeiströmenden Dorfbewohnern mit Vorräten versorgt. Und so wie die Stadt vom umliegenden Land lebt, liefert dieses dafür die von den ortsansässigen Handwerkern gefertigten Gegenstände und auch einige importierte Lebensmittel.

Ist der Dorfbewohner am Eingang des Bazars angekommen, so begibt er sich mit seinem Reittier in einen der *seray,* Karawansereien – oft bestehend aus einem einfachen rechteckigen, von hohen Mauern umgebenen Hof. Es ist 7 oder 8 Uhr morgens. Unter dem Portal erhebt der Eigentümer oder Verwalter eine Gebühr von 1 bis 5 Afghanis [1 Afghani = ungefähr 5 Schweizer Rappen] für den Tag, je nach Art des mitgebrachten Tieres. Der Dorfbewohner bindet es an einen Holzpfahl, der in der Nähe eines tönernen Futtertroges in die Erde gerammt ist. Oft werden die Kamele in anderen Karawansereien untergebracht, da, wie es heißt, die Pferde und Rinder den Geruch dieser Tiere nicht vertragen. Diese einfachen Karawansereien werden nur am Tage benützt, andere sind richtige Gaststätten, die auch mit einem Teehaus versehen sind. Ihr Hof ist von Gebäuden umgeben. Im ersten Stock werden Zimmer für die Nacht oder für einen ganzen Monat vermietet. Im Erdgeschoß werden Futter für die Tiere und Waren gelagert, und manchmal sind auch richtige Küchen untergebracht, oder es haben sich umherziehende Saisonhandwerker dort eingerichtet. Die Tiere bleiben in der Nacht im Hof. Neben der erhobenen Gebühr macht sich der Inhaber der Karawanserei auch den Mist der Tiere zunutze. Er wird getrocknet, manchmal auch gepreßt und dient als Brennmaterial.

Das Vieh und das Brennmaterial bringt der Dorfbewohner zum *gosfandbazar,* wörtlich Schafmarkt, ein ödes, etwas abseits vom Bazar gelegenes Gelände, wo die Tiere und das Brennholz verkauft werden. Die Sonne sticht, und inmitten des von unzähligen Füßen und Hufen aufgewirbelten Staubes, des Stimmengewirrs und des Geschreis der Tiere findet der Dorfbewohner schnell den ihm zugewiesenen Platz, eine etwas schattigere Zone für die mit Gestrüpp beladenen Esel, ein etwas freieres Land, wo die Pferde sich tummeln können, provisorische Unterstände aus Lehmwänden

für die Schafe, ein mit Pfählen abgestecktes Gelände für die Kamele. Die aus der entfernten Steppe gekommenen Turkmenen lassen sich nieder und bereiten den Morgentee. Sie zünden mit Gestrüppresten oder Stroh ein Feuer an. Der Kauf von Reisigbündeln und Holzkohle wird direkt zwischen Verkäufer und Käufer ausgehandelt. Jeder ruft laut, was er anbietet oder fordert, bis man sich auf einen für beide Parteien annehmbaren Preis geeinigt hat. Nach abgeschlossenem Geschäft führt der Verkäufer selbst das mit seiner Last beladene Tier zum Haus des Käufers. Beim Viehkauf muß jedoch der *dalal*, der Vermittler, dabei sein, der im Interesse des Verkäufers die Vorzüge des Tieres anpreist und der sich zwischen die beiden Parteien einschaltet, um die Forderung der einen zu senken und die der anderen zu erhöhen. Das Geschäft gilt als abgeschlossen, wenn er die Hände der beiden Partner vereint hat, die ihm beide eine Vergütung schuldig sind.
Um 9 Uhr ist im *gosfandbazar* alles in vollem Gange, um 11 Uhr ist niemand mehr da, denn dem Dorfbewohner muß genügend Zeit bleiben, um seine Geschäfte im Bazar tätigen und den langen Heimweg zurücklegen zu können.
Je nach Jahreszeit verkauft der Ackerbauer, Viehzüchter oder Gärtner im Bazar sein Getreide, seine Wolle, seine Baumwolle oder sein Obst. Er vermeidet die zu engen Gäßchen, wo die Lasttiere sich keinen Weg bahnen können, und strebt dem *mandai* zu, dem Lebensmittelmarkt, wo die Waren zur Schau gestellt, gelagert und gestapelt werden. Es wird nach Gewicht verkauft. In jedem *mandai* findet sich ein Spezialist, dessen Aufgabe es ist, die angebotene Ware zu wiegen. Es ist der *tarazudar*, der Garant des rechten Gewichtes. Er beginnt seine Arbeit mit einer kurzen Segnung und begleitet sie dann mit einem Zählgesang, eine Art von Gedächtnisstütze, die ihm hilft, die Gewichtszahlen zu behalten.
Die meisten Landbewohner nützen ihren Aufenthalt in der Stadt auch für einen Gang zu den Behörden, um ihre Steuern zu bezahlen, sich einen Personalausweis oder andere amtliche Papiere ausstellen zu lassen. Sie können sich auch noch eine kleine Weile in einem Teehaus aufhalten, in ein öffentliches Bad oder zum Barbier gehen.
Die berühmten *tschaichana*, die Teehäuser, die man im Norden des Hindukusch [aufgrund ihrer Samoware] *samawat* nennt, sind ganz einfache Teeausschankstuben. Außerhalb der Städte findet man sie immer unter einem Dach mit den Rasthäusern. In der Stadt sind sie besonders zahlreich am Stadteingang und an den belebtesten Stellen des Bazars. Am Stadtrand nehmen sie nicht nur die Landbevölkerung, sondern auch die vorbeiziehenden Reisenden, Lastwagenfahrer und Omnibusfahrgäste auf, denen sie manchmal eine billige Bleibe für die Nacht bieten. Die *samawat* sind sehr viel länger geöffnet als die Buden des Bazars, manchmal bis um 10 Uhr abends. An Festtagen sieht man gelegentlich Musikanten und Tänzer. Wenn es Straßen-Raststätten sind, dann gehört auch eine Küche dazu, in der *palau* [Pilaw] oder ein schmackhafter *kabab* über dem Feuer bereitet wird. Morgens und abends liefert der Bäcker ganze Berge von knusprigen Fladenbroten, die der Wirt in einem Tuch aufbewahrt, damit sie warm und wohlschmeckend bleiben. Im Bazar selbst schenken die Teehäuser oft nur heißes Wasser aus, das die Kaufleute und Handwerker in ihren kleinen Kannen des öfteren am Tag holen, um ihren Tee zu bereiten. Hier gibt es weder Tische noch Stühle. Man setzt sich auf Schilfmatten oder – in den luxuriöseren Häusern – auf Teppiche. Das Wichtigste in den Teehäusern sind jedoch immer die zwei bauchigen Samoware aus blankem Kupfer. Sie sind neben der Holzanrichte aufgestellt, wo sich Teekannen und vielfarbige Schalen aus japanischem Porzellan aneinanderreihen. Die Samoware haben in der Mitte ein Rohr, in dem die Holzkohle glüht. Eine Kanne wird stets ge-

braucht und daraus gekochtes Wasser gegossen, während die andere unterdessen angeheizt wird. Man trinkt im Sommer gewöhnlich den erfrischenden grünen Tee, im Winter den wegen der besseren Erwärmung begehrten schwarzen Tee. Es kommt auch vor, daß ein durchziehender Künstler farbige Fresken an die Wand malt mit Motiven religiöser oder profaner Art: Paläste, Moscheen, Tauben oder Papageien, das Schwert Alis, Blumengirlanden, zuweilen auch die Stute des Propheten oder Inschriften, Zitate aus dem Koran oder Volksweisheiten. Noch häufiger hat der Wirt ein farbiges Porträt des Herrschers oder Ministerpräsidenten sowie Bilder aus Reisekalendern an der Wand angebracht. Von der Decke hängen Käfige mit Singvögeln. In der warmen Jahreszeit lassen sich die Gäste im Freien auf Holzpodien nieder, die man auf die Straße hinausgestellt hat.

In diesen Teehäusern versammeln sich an den Bazartagen zwischen 11 und 12 Uhr Städter und Landbevölkerung nach beendetem Geschäft; es wird der *tschelim,* die Wasserpfeife, gereicht; man macht Würfelspiele, und die Müßigen haben den mit blauweißer Hülle bedeckten kegelförmigen Weidenkäfig mitgebracht, in dem die Kampfrebhühner aufbewahrt werden; ein Musiker schlägt einige Noten auf einem *dambura* an.

An diesen Tagen herrscht auch in den *hamam,* den öffentlichen Bädern, und bei den Barbieren reger Betrieb. Die öffentliche Badeanstalt dient nicht nur der Hygiene; man kommt dort auch bestimmten religiösen und genau festgelegten gesellschaftlichen Verpflichtungen nach, die eng mit der körperlichen Sauberkeit verbunden sind. Männer und Frauen sind streng voneinander getrennt. Sie benützen entweder getrennte *hamam* oder, wenn es an einem Ort nur einen einzigen gibt, gehen an verschiedenen Tagen dorthin. Der Markttag ist natürlich für die Männer reserviert.

Den *hamam* betritt man durch einen engen, abschüssigen Gang, um in einem Saal mit gewölbter Decke, den Umkleideraum, zu gelangen. Wie alle diese Einrichtungen ist er unterhalb der Straßenoberfläche gelegen und von unten her beheizt. Die Heizung verbreitet die warme Luft in den unterirdischen Gängen. Im Umkleideraum kassiert der Inhaber die Eintrittsgebühr, verteilt Wäsche, Bimsstein, grobfaserige Massagehandschuhe, Seife und Metallbecher für die Waschungen. Etwas weiter wartet ein Barbier auf seine Kunden. Mit einem um die Hüften geschlungenen Laken bekleidet, geht der Besucher einen Gang entlang, der ihn in einen kleineren Raum führt, wo man sich in Nischen, vor zudringlichen Blicken geschützt, seiner intimen Körperpflege widmen kann; dann geht es ins Schwitzbad, in einen großen, düsteren, feuchten Raum mit einem glatten Ziegelboden. In der Mitte oder an den Seiten stehen zwei Becken, eines mit warmem, das andere mit kaltem Wasser gefüllt. Man begießt sich mit Hilfe des Bechers. Die Sitzung dauert Stunden, manchmal den ganzen Vormittag. Die diskrete Atmosphäre des *hamam* eignet sich ja auch recht gut für eine willkommene Entspannung, eine längere Unterhaltung mit anderen Kunden, ein sorgfältiges Abschaben von Hornhautstellen, eine Massage. Wird man im *hamam* von der Stunde des Gebetes überrascht, so gibt es, zumindest in den gut ausgestatteten Bädern, auch eine Nische in der Seitenwand, die die Richtung Mekkas anzeigt und in der man seinen religiösen Pflichten nachkommen kann. Im *hamam* und im Bazar übt der Barbier vielerlei Funktionen aus, manche sind geradezu paramedizinischer Art. Hat der Barbier in seinem Beruf Erfolg, dann besitzt er einen richtigen kleinen Laden mit einem Stuhl für den Kunden und einem importierten Rasierapparat. Auf seiner Ladentüre ist ein Schild angebracht, auf dem die Berufsinsignien abgebildet sind. Manchmal ist er aber auch nur ein armer Straßenbarbier, der sich irgendwo entlang des Wegs niederläßt und aus seinem Holzkoffer Rasiermesser, Seife und mit Rosenöl parfümierten Alkohol holt.

Der Barbier gehört im allgemeinen zu einer verrufenen sozialen Gruppe, die auf einer Stufe mit den Köchen und Musikern steht. Dieses geringe Ansehen ist sicherlich darauf zurückzuführen, daß man es bei dieser Tätigkeit immer mit menschlichen Abfällen zu tun hat, aber auch auf einen Rest an Aberglauben, wonach sich mit abgeschnittenen Nägeln und Haaren Geister beschwören lassen. Und doch ist der Barbier im Leben Afghanistans eine wichtige Person. Zu ihm bringt man die kleinen Kinder zur Beschneidung, läßt sich einen Aderlaß machen oder Schröpfköpfe ansetzen. An den Tagen, an denen alles zum Bazar strömt, besonders im Frühjahr, ist er am meisten beschäftigt. Da ist es Brauch, sich den Kopf rasieren und Schröpfköpfe ansetzen zu lassen, und man unterzieht sich einer Entschlackungskur, um die schlechte Laune des Winters zu vertreiben.

Am frühen Nachmittag ist der große Markt der Bazartage beendet. Der Dorfbewohner hat den Heimweg angetreten, der Händler döst in seiner Bude vor sich hin; nur in den Gäßchen der Handwerker hört man die Hämmer der Kupferschmiede und Grobschmiede dröhnen.

Zwischen 17 und 18 Uhr schließen die Lehrlinge die Buden; Handwerker und Kaufleute kaufen ihr Brot für die Abendmahlzeit, das sie in ihren bunten Halstüchern davontragen.

In der Stadt ist der Bazar eine Welt für sich. Niemand wohnt dort. Nur am Tage herrscht reges Leben. Die Eingänge zu den Bazaren waren früher mit Toren versehen, die man am Abend schloß. In der Nacht bleiben nur die von den Kaufleuten bezahlten Wächter da. Es sind mit Stöcken bewaffnete Greise, die den ihnen anvertrauten Reichtum bewachen, während in den Gäßchen hier und da spärliche Lichtchen brennen.

Handwerker und Kaufleute

In den Dörfern ist der Schmied oft der einzige nicht in der Landwirtschaft beschäftigte Arbeiter; seine Esse betreibt er mit Holzkohle, und ein Lehrling steht hinter den beiden Blasebälgen aus Ziegenleder, die er im Wechsel betätigt. Wie der Schmied in der Stadt hat auch der Dorfschmied eine wichtige Funktion. Er stellt die landwirtschaftlichen Geräte her und flickt sie. In den kleinen Orten ist er auch gleichzeitig Zimmermann, oft sogar Barbier. Er repariert den Pflug, die Mühlenflügel, das Gebälk der Häuser; bei ihm werden die kleinen Jungen beschnitten, oder man läßt sich einen schlechten Zahn ziehen. Die Bauern bezahlen den Schmied mit Naturalien. In den Städten ist das Handwerk natürlich besser entwickelt. So beherbergt der Bazar außer den metallbearbeitenden Handwerkern auch jene, die mit Holz und Leder umgehen, dann die Färber, die Schneider und andere Berufe mehr.

Die Werkstatt ist ein düsterer rechteckiger Raum, etwas über der Straße gelegen. Außer dem Tageslicht gibt es keine andere Beleuchtung. Der Handwerker sitzt bei seiner Arbeit auf einer Matte direkt auf dem Boden. Es gibt weder Stuhl noch Tisch noch Werkbank. Um unnötiges Hin- und Hergehen zu vermeiden, hat der Handwerker sein Werkzeug in Reichweite um sich herum ausgebreitet. Nur der Schmied muß im Stehen hämmern, und um sein Schmiedestück jeweils in der richtigen Höhe bearbeiten zu können, hat er den Boden seiner Schmiede in verschiedenen Höhen ausgeschachtet. Benützt wird noch immer das im eigenen Land gewonnene Erz. In zunehmendem Maße findet aber Eisen Verwendung, das aus verschrotteten Autos stammt, wobei jedes Stück einem ganz bestimmten Zweck dient. So werden etwa aus Tankblechen von Camions Spaten, aus Federblättern Messer angefertigt. Der Kupferschmied stellt die traditionellen Kupferge-

fäße, wie Teekannen, Wasserkannen, Kessel und Samoware her. Was die billigen Behälter betrifft, so wird ihm von den Töpfern und jetzt auch von den Herstellern von Gefäßen aus Aluminium oder anderem leichtem wiederverwertetem Metall Konkurrenz gemacht.
Der Juwelier übt ein sehr geachtetes und stark mit dem gesellschaftlichen Leben verknüpftes Gewerbe aus. Er schafft den Schmuck, der mit zur Aussteuer der Braut gehört. Der Paschtunen-Schmuck ist schwer, massiv, prunkvoll, mit farbigem Glas verziert und verrät die indische Nachbarschaft. Der turkmenische Schmuck besteht aus großen Silberplatten, die manchmal vergoldet und in Karneol gefaßt sind. Der Stil der turkestanischen Goldschmiede läßt sich erkennen an seiner Feinheit, an der Verwendung von Gold, Korallen und Steinen, an den Filigran- und Perlarbeiten.
Nicht weit entfernt von den Schmieden sind die Zimmerleute und vor allem die Drechsler am Werk. Sie stellen die Stiele für Sicheln und Querbeile her, fertigen aber auch die Maschinen des traditionellen Afghanistan: Pflüge und Mühlenräder sowie Webstühle und Baumwoll-Entkernungsmaschinen. In Taschkurgan, wie in Schewa im Kunar, sind die Drechsler richtige Künstler, die die hergestellten Gegenstände mit farbigem Wachs verzieren.
In einem Land, in dem man sich noch auf Eselrücken oder zu Pferd fortbewegt, wo noch immer Karawanen umherziehen, ist die Sattlerei ein wichtiges Gewerbe. In den Händen eines geübten Sattlers werden das Zaumzeug, die farbigen Zugseile, die Trensen und Fransen zu wahren Kunstwerken.
Vom Zentrum des Bazars entfernt befinden sich die anspruchsloseren Gewerbe. In dieser Zone begegnen wir dem Färber, der mit blauen Händen Zwirnstränge in seine Indigo-Schüssel taucht. Die Frauen verweben sie dann zu Hause oder fertigen bunte Quasten, die dem Schmuck der Kamele dienen, wenn die Ernte eingebracht wird. Hier halten sich auch die Schuhflicker auf, die für ein paar Afghani eine abgetragene Sohle durch ein Stück Reifengummi ersetzen.
Das textile Kunstgewerbe wird nicht im Bazar, sondern in der Dörfern von den Frauen betrieben. Sie besticken Hemden und Seidenmützen, die von allen Männern unter dem Turban getragen werden, weben Schals und Kelims und knüpfen Teppiche.
Wer an einen Bazar denkt, sieht im Geiste die Stapel schillernder Stoffe, die Brokate und broschierten Seiden vor sich. Er atmet den Duft der Gewürze und Parfums, und das nicht ohne Grund, sind doch die Berufe der Tuch-, Kräuter- und Parfumhändler die angesehensten im Bazar. Ihnen stehen die besten und zentralgelegenen Plätze zu. Der Ladeninhaber sitzt mitten in seinen vier Wänden, gleichsam in seiner Ware vergraben; der Raum ist zu klein, als daß der Kunde, der von der Straße aus um das ausgewählte Stück feilscht, hereintreten könnte. Dieses Feilschen dient nicht dazu, den Partner übers Ohr zu hauen. Es ist eine Art Ritual, das nicht allein eine wirtschaftliche, sondern auch eine gesellschaftliche Seite hat. Jeder beweist dabei sein psychologisches Geschick und seine Geschäftstüchtigkeit. Dabei werden auch die Preise nach einem regelrechten Mechanismus festgelegt. Die Rechnungen werden niemals schriftlich, sondern blitzschnell mit Hilfe des Zählrahmens aufgestellt.
Im gesamten Bazar sind mehr als 50 Prozent der Ladeninhaber Händler; unter ihnen wiederum verkaufen die meisten Textilien aller Art. Bei den handwerklichen Berufen stehen die metallverarbeitenden Gewerbe an erster Stelle. In geringerer Zahl als Händler und Handwerker sind schließlich die Dienstleistungsgewerbe vertreten; Barbiere, Inhaber von Teehäusern und öffentlichen Bädern. Mitten in der Betriebsamkeit, die bei großen weltlichen oder religiösen Festen an Bazartagen herrscht, am Viehmarkt und überall da, wo die Straße etwas breiter wird, lassen sich umherziehende Händler nieder, die unter freiem Himmel verkaufen

und im Laufe des Tages je nach dem Sonnenstand und der Lage schattiger Plätze ihren Standort wechseln. Sie bieten ihren Kunden einen Kühltrunk an, gelbe Erbsen in Essig, geröstete Maiskörner oder Gegenstände aus weiter entfernten Städten: Messer aus Tscharikar, Spiegel aus Pakistan, Rosenkränze aus Mekka.
Der geographischen Standortverteilung der verschiedenen Gewerbe entspricht auch eine feststehende, uralte gesellschaftliche Rangordnung. Sie erinnert an unser mittelalterliches Zunftwesen. Jede Berufsgruppe untersteht einem *kalantar,* wörtlich Größeren. Er ist der Zunftmeister, der eine administrative Rolle spielt in den Beziehungen zu den Behörden, auf sozialem Gebiet, wenn es gilt, Konflikte beizulegen, die innerhalb der Berufsgruppe auftauchen können, bei zeremoniellen Anlässen, wie etwa feierlichen Einsetzungen neuer Meister. Im übrigen wird die Zunft der Schirmherrschaft eines Heiligen unterstellt. Es finden sich Namen aus dem Alten Testament, die im Islam verehrt werden: die Schmiede haben *Daud,* David, zum Schutzpatron; die Zimmerleute *Nu,* Noah. Diese Zünfte bestehen besonders noch bei den Handwerkern, während die Händler mehr und mehr von den Handelskammern abhängig sind.

Bauern und Viehzüchter

Der Bazar verbindet zwei verschiedene Welten, Stadt und Land. Das Land überwiegt, und zwar aufgrund der Zahl von Menschen, die dort leben und arbeiten. So befassen sich mehr als 85 Prozent der afghanischen Bevölkerung mit Ackerbau und Viehzucht, und weniger als 7 Prozent leben in Städten, die mehr als 10000 Einwohner zählen. Mit großem Geschick haben die Bauern die Erde durch Bewässerung fruchtbar gemacht. Sie haben das Wasser durch verzweigte Kanäle von Flüssen und Quellen hergeleitet, und sie haben ein bewundernswertes Netz unterirdischer Kanäle [vor allem im Süden des Hindukusch] angelegt, durch die das Wasser vom Fuße der Berge in die Ebene fließt. In Abständen von jeweils 20 oder 30 Metern befindet sich ein senkrechter Brunnen, durch den der unterirdische Kanal erreicht, unterhalten und im Frühjahr gereinigt werden kann. Der von Bewässerungsanlagen abhängige Ackerbau oder *abi* hat nach einem sehr umfangreichen Wasserrecht gerufen, das strenge Regeln über die Verteilung aufstellt und den Rechten der verschiedenen Eigentümer und der mehr oder weniger günstigen Lage der Felder Rechnung trägt. Ein oder zwei angesehene, von den Eigentümern gewählte Männer sind mit dieser Verteilung beauftragt, die viel Umsicht erfordert. Manchmal reicht das Wasser zur jährlichen Bewässerung nicht aus, so daß die Felder von Zeit zu Zeit brachliegen. So ist es in den Oasen des Nordens üblich, nur jedes dritte Jahr zu säen. Im Gegensatz zum Ackerbau *abi,* bei dem der Ertrag regelmäßig, der Aufwand aber teuer ist, gibt es den trockenen Ackerbau oder *lalmi;* dabei kommt den höher gelegenen Feldern ein größerer Regenreichtum zugute als jenen in der Ebene. Bei diesen Feldern ist zwar kein großer Aufwand nötig, doch ist der Ertrag infolge der unregelmäßigen Niederschläge ungewiß.
Ein Großteil der Bauernschaft, besonders in den Oasen Turkestans und in den Ebenen des Westens, besitzt das Land nicht, sondern bestellt es für die Eigentümer. Der Bauer wird in Naturalien bezahlt nach einem System, das man etwa das System der fünf Teile nennen könnte und das im übrigen im Mittleren Orient weit verbreitet ist: Einen Teil der Ernte bekommt der Eigentümer des Bodens, einen der, der das Saatgut abtritt, einen der, der das Wasser für die Bewässerung liefert, einen jener, der Zugvieh und Pflug bereitstellt, einen schließlich derjenige, der die Arbeit tut. So erhält der Bauer, der nur seine eigene Arbeit beitragen kann, lediglich ein Fünftel der Ernte. Dem Gärtner ergeht es besser, er

hat Anspruch auf einen größeren Anteil aus dem Obstgarten oder Garten, den er bestellt, und die daraus bezogenen Produkte, Mandeln, Baumwolle und getrocknete Früchte, gehören zu den wichtigsten Exportgütern Afghanistans.
Der Viehzüchter lebt unter dem Zeichen der Alpenwirtschaft. Die Schafe, die den Winter in der Ebene verbringen, werden im Sommer auf die Gebirgsweiden getrieben. Jedem Hirten sind etwa 300 Tiere anvertraut, die meistens in Herden von 900 bis 1200 zusammengefaßt werden, so daß sich drei Hirten ihre Arbeit teilen können. Der eine kocht, der andere sucht Wasser, und der dritte hütet die Tiere. Ist die Zeit der Schur gekommen, verdingen sich Turkmenen, in Trupps vereinigt, als Schafscherer in den Steppen, in denen die Tiere im Frühjahr weiden. Als Bezahlung erhält ein Schafscherer in der Regel die Wolle eines jeden zwanzigsten geschorenen Schafes. Die Schafzucht ist eine Haupteinnahmequelle des Landes. Es gibt etwa 20 Millionen Schafe, und die Aufzucht des Karakulschafes ist vor einiger Zeit ausgeweitet worden. Die turkmenischen oder Paschtunen-Viehzüchter des Nordens, die mehr als 5 Millionen dieser Tiere besitzen, sind damit wohlhabend geworden. In den Bazaren Turkestans kann man im April beobachten, wie um die herrlichsten Karakul-Schaffelle gefeilscht wird. Es sind die Felle von Lämmern, gekräuselt, flaumig und seidenweich, schwarz oder graublau, hellbraun oder goldglänzend. Sie werden mit Salzlake und Gerstenmehl behandelt und in festen Ballen auf die Märkte Londons, Hamburgs oder New Yorks geschickt.

So wird gereist

In jenem Afghanistan, in dem man nur in Karawanen reiste, überquerte man auf dem Weg vom Norden in den Süden des Landes eine Reihe von Pässen. Um aus dem Tal von Kabul zu den Furten des Amu-Darya zu gelangen, brauchte man länger als zwei Wochen. Die Wegstrecken der Kamele betrugen selten mehr als 35 km, die der Pferde etwa das Doppelte. Die Karawansereien – ein Wort, das ebenso auf die zurückgelegte Entfernung hinweist wie auf die entlang der Hauptzugangswege liegenden Raststätten – wurden vom Staat sehr sorgfältig instand gehalten. Heute finden wir ein gutes von Lastwagen und Omnibussen befahrenes Straßennetz vor; es ist möglich, in einem Tag vom Osten in den Westen und vom Süden in den Norden des Landes zu reisen. Noch sind aber die alten Reisegebräuche nicht ganz verschwunden. Die Paschtunen-Nomaden benützen für ihre Wanderungen noch immer Kamelzüge. Im Norden transportieren nach den Ernten prächtig geschmückte Kamele das gedroschene Getreide. Und auf den unwegsamen Straßen, die zu entlegenen Gegenden führen, stellt die Fahrt im Lastwagen oder Jeep noch immer ein gewisses Abenteuer dar, das dem der Reisen von damals nicht nachsteht. Eine Wegstrecke im Lastwagen, so heißt es bei den Bewohnern des Nordens, entspricht zwei Wegstrecken zu Pferd, eine Wegstrecke zu Pferd entspricht zwei Wegstrecken auf Esels- oder Kamelrücken. Auch heute noch kann eine Fahrt mehrere Tage dauern. Dann dienen die früheren Karawansereien als Herbergen. Die Mahlzeiten werden in einem Teehaus eingenommen. Ein Halt ist auch dann geboten, wenn es gilt, die verschiedenen Gebete des Tages zu verrichten, Wasser nachzufüllen und Reparaturen vorzunehmen. An den Seiten sind die afghanischen Lastwagen reich verziert; sie stellen wahre Meisterwerke der Volkskunst dar, besonders wenn die Wagen aus den Werkstätten von Kabul kommen und mit allen gängigen Motiven geschmückt sind: Kalenderlandschaften, Blumen, legendären Helden, Themen und Gestalten der islamischen Tradition. Auf der Vorderseite und auf der Hinterradachse befindet sich eine Inschrift, die den bösen Blick abwenden soll. Trotz dieser vorbeugenden geisterbeschwörenden Maßnahmen kann es Pannen geben. Gerade dabei zeigt der Fahrer sein außergewöhnliches Geschick und beweist seine erstaunlichen Mechanikereigenschaften. Mit primitivstem Werkzeug [wir haben gesehen, wie ein gesprungenes Kupplungsgehäuse recht geschickt mit Teerseife und Putzwolle abgedichtet wurde] repariert er das Unreparierbare, und die Reise geht weiter.

Denken wir auch an die Reisen zu Fuß. Wer beim Wandern auf den Pfaden Afghanistans einem Fußgänger begegnet, der soll nicht vergessen, ihm zu sagen: «*manda nabaschi!*» [sei nicht müde]; dieser wird ihm antworten: «*zenda baschi!*» [mögest Du lange leben]. Vom Sonnenaufgang bis zum Sonnenuntergang beginnen die verschiedenen Tageszeiten mit dem jeweiligen vorgeschriebenen Gebet. Der richtige Augenblick wird nach dem Stand der Sonne bestimmt: Das erste Gebet findet vor Sonnenaufgang statt, das zweite genau nach Mittag, das dritte am Ende des Nachmittags, das vierte bei Sonnenuntergang und das fünfte vor dem Schlafengehen. Man frühstückt nach dem ersten Gebet: in der Regel gezuckerten Tee und Brot; nach dem zweiten ißt man Obst, eine Suppe oder Brühe [im Sommer], Leber am Spießchen oder Hammelfleisch. Die Hauptmahlzeit des Tages wird zwischen dem vierten und fünften Gebet eingenommen: ein warmes Gericht, Reis- oder Ervenbrei, bei den reichen Leuten Fleisch. Untertags bleibt der Mann nicht zu Hause; er arbeitet im Bazar oder auf den Feldern. Die Frau dagegen verläßt die Wohnung ihres Mannes nur bei besonderen Anlässen: Wenn sie – immer begleitet von einer älteren Frau des Hauses – ihre Eltern besucht oder zu einem Wallfahrtsort pilgert, zum Friedhof oder zu den öffentlichen Bädern geht. Früher begab sie sich nie selbst in den Bazar, stets machte der Mann die für den Haushalt nötigen Einkäufe. Bei diesen seltenen Ausgängen kleidete sich die Städterin im Süden in einen *tschadri,* im Norden in einen *parandji,* eine Überbekleidung, die sie vollkommen bedeckte. Eine Art Gitter aus Stoff oder Fasern, in der Höhe der Augen angebracht, war ihr einziges Guckloch zur Außenwelt.

Im häuslichen Rahmen oder anderswo durfte sie nur die Mitglieder ihrer engeren Verwandtschaft ansprechen. Die Frauen der Nomaden und die Dorfbewohnerinnen hatten freilich immer mehr Bewegungsfreiheit; anstelle eines *tschadri* trugen sie auf dem Kopf einen Schal, den sie über das Gesicht schlagen konnten, wenn sie unverhofft jemandem begegneten. Im modernen Afghanistan, besonders in den Städten, schreitet die Emanzipation der Frau rasch fort: Der Schleier wird abgelegt, zahlreiche Mädchenschulen sind gegründet worden, und die Universität hat den weiblichen Studierenden ihre Tore geöffnet.

In der Aufteilung des Heims zeigt sich deutlich die Trennung zwischen der Welt der Männer und der der Frauen. Die Wohnung der Männer liegt an der Eingangsseite; in den wohlhabenden Familien gehört dazu ein Gästehaus mit Blick zur Vorderseite oder auf einen Vorderhof, der von außen zugänglich ist. Hier bewirtet man seine Gäste. Sind diese da, so ist den Frauen jener Teil des Hauses verschlossen. Sie wohnen weiter hinten, um einen Innenhof. Um sie vor zudringlichen Blicken zu schützen, ist der Gang, der von einem Hof zum anderen führt, von einer zickzackförmigen Mauer umgeben. Die Zimmer sind nicht möbliert; man sitzt und schläft auf dem Boden, auf Schilfmatten, die mit gewebten Baumwollstücken oder Teppichen bedeckt sind. Nachts werden hier die Matratze und das Bettzeug auseinandergerollt, die tagsüber in den Nischen der dicken Lehmmauern verstaut waren. Diese Nischen dienen auch als Aufbewahrungsort für den respektvoll in ein wertvolles Tüchlein geschlagenen Koran und die wenigen Gebrauchsgegenstände wie Lampe und Wasserkanne. Um die Mahlzeit einzunehmen, wird auf dem Boden ein Tischtuch ausgebreitet, auf das man das in

Tücher geschlagene Brot legt. Ein Diener oder ein junges Mitglied der Familie gießt aus einer Kanne ein mit Rosenöl parfümiertes Wasser auf die Hände der Umsitzenden. Teller und Gedecke gibt es nicht. Jeder nimmt sich seine Speise mit der rechten Hand direkt aus der Schüssel; die linke ist für intimere Verrichtungen vorgesehen. Gegessen wird schnell und schweigend. Nach der Mahlzeit wird wieder die Wasserkanne gereicht. Man spült sich den Mund und deutet mit einer Geste seinen Dank an.
Die Kleidung ist in Afghanistan von Gegend zu Gegend verschieden. An der Art, wie jemand gekleidet ist, läßt sich oft seine Herkunft erkennen. Der Turban wird fast überall getragen. Wohlhabende Städter ziehen die Mütze aus Karakulfell vor. Im Süden des Landes tragen die Männer weiße, am Knöchel gebundene Pluderhosen aus Baumwolle und ein langes Hemd, ebenfalls aus weißer Baumwolle. Das Schuhwerk besteht aus Sandalen. Im Winter schützt ein wollenes Tuch Kopf und Schultern. Die europäische Kleidung kommt in den Städten immer mehr auf, besonders Weste und Jacke, im Winter Überschuh oder Gummischuh. In der Gegend von Ghazni trägt man bei Frost auch die weite Schaffelljacke, deren Fehler im Leder oft mit Stickereien überdeckt sind. Im Hazaradschat-Gebirge wird dem Wind mit Hilfe eines Mantels aus Filz oder einer Art von Loden gewehrt. Im Norden tragen die meisten Männer den *tschapan,* einen Mantel aus gestreiftem Stoff, der im Sommer aus Baumwolle, im Winter aus Kamelhaar oder Molton-Seide gefertigt ist. Er wird an der Taille durch einen gebundenen Seidenschal zusammengehalten. Das ist ganz besonders die Kleidung der Reiter, die Stiefel aus grobem, gelbem Leder mit stark betonten Absätzen tragen. Die feinen schwarzen Stiefel aus Ziegenleder sind bestimmt für den Winter. Damit ihnen der Schneematsch nichts anhaben kann, werden Überschuhe getragen.
Im Laden wärmt sich der Händler am *sandali.* Das ist ein in einer Bodenvertiefung eingebauter Ofen, über dem ein Holzgestell angebracht ist. Darauf werden Decken gelegt. Kauert man sich unter diesen Decken möglichst nahe an den Ofen, so ist der Körper fast ganz vor Kälte geschützt. Die großen *sandali* in den Wohnungen spenden Wärme für eine ganze Familie.

Das religiöse Leben

Die 100000 Mullahs Afghanistans sind die Weisen und die Lehrer des islamischen Glaubens. Jeder gebildete und fromme Mann kann diesen Namen erhalten. Die Imam-Mullahs sind die Vorbeter der Gläubigen in einer der 50000 Moscheen des Landes. Freitags, etwa der Sonntag des Islams, predigt einer von ihnen in der großen Moschee, wo sich alle Gläubigen versammeln. Andere lehren in den Schulen, wo den kleinen Kindern mit dem Koran das Lesen und Schreiben beigebracht wird. In einem Raum, der den Läden der Händler ähnelt, psalmodieren sie die Suren und beugen sich dabei vor und zurück, um bei diesen rhythmischen Bewegungen den heiligen Text besser behalten zu können. In den Medresen vermitteln die großen Mullahs eine höhere religiöse Bildung, und in den für die Blinden bestimmten Spezialschulen lehrt man das auswendige Aufsagen des gesamten Korans. Der Mullah wird prinzipiell nicht von einer geistlichen Obrigkeit geweiht oder ernannt; die Gemeinschaft der Gläubigen erwählt ihn, wenn sie ihn als den weisesten und sittenstrengsten erkannt hat. Für die Anhänger der Lehre bestimmt die Religion die Lebensführung bis ins kleinste. In Afghanistan werden die aufgestellten Regeln fast durchwegs befolgt. Der Islam schreibt die Hygiene vor, die vor Gebeten und nach geschlechtlichen Beziehungen zu verrichtenden Reinigungen, die Länge des Bartes und der Nägel, das Tragen des Turbans, welche Lebensmittel erlaubt und unerlaubt sind

[Schweinefleisch, Alkohol usw.]. Es ist erstaunlich, mit welcher Strenge die fünf kanonischen Vorschriften – Gebet, Almosen, Glaubensbekenntnis, Fasten und Wallfahrten – eingehalten werden: Zu den Stunden des Gebetes verlassen Polizisten ihren Platz an der Straßenkreuzung, um sich in Richtung Mekka niederzuwerfen; im Monat Ramadhan wird von Sonnenaufgang bis Sonnenuntergang weder gegessen noch getrunken, noch geraucht. Dann dröhnt der Kanonenschuß, der für die Abendstunden den Gläubigen von dem allgemeinen eingehaltenen Fasten entbindet. Immerhin sind Kranke, kleine Kinder, schwangere Frauen und Reisende nicht ans Fasten gebunden. Dennoch begegnet der Fremde auch überall auf den Landstraßen und Wegen den Zeichen eines lebendigen Glaubens. Hier und dort finden sich einfache oder prunkvolle Umfriedungen aus Stein oder Lehm. An einem hohen Holzmast flattern bunte Stoffbänder. Es sind die Gräber von Heiligen oder *mazar;* es können einheimische Wallfahrtsziele sein, zu denen die Frauen an bestimmten Tagen der Woche pilgern, um ein Kind zu erbitten. Die großen Heiligtümer, wie etwa jene von Mazar-i-Scharif, ziehen jedes Frühjahr Zehntausende von Gläubigen an, die beim Aufziehen des *djanda,* der grünen Glaubensfahne, zugegen sein möchten. Man erwartet davon Wunder, die Heilung von Blinden und Gelähmten. Die ganz Reichen und sehr Frommen unternehmen die lange Pilgerfahrt nach Mekka. Die Schiiten pilgern auch zum Grab des Imams Reza in Meschhed oder im Irak, um das Gedächtnis an die Schlacht von Kerbela mitzufeiern, bei dem man den Tod Husains, des Sohnes Alis, beweint.

Es wäre falsch, das religiöse Verhalten der Afghanen als Fanatismus zu werten. Juden und Christen werden ja von ihnen nicht nur geduldet, sondern sogar als Menschen des Buches geachtet, da sie die Thora und das Evangelium besitzen. Auch Hindu- und Sikh-Tempel sind in Kabul und Dschelalabad zugelassen.

Das einfache Volk ist großzügig gegenüber jenen, die einem volkstümlichen Glauben anhängen, es sind *malang, darwisch* oder *diwana* [wörtlich Verrückte], Bettelmönche. Sie nehmen für sich mehr oder weniger enge Beziehungen zu gewissen mystischen Orden in Anspruch, tragen lange Haare, einen Mantel aus bunten Flicken, einen Stock oder eine Axt und eine Almosenschüssel. Oft gehen sie mit unbedecktem Kopf, wirrem Haar und zottigem Bart umher, was zu folgendem Sprichwort geführt hat: *awal risch, baz darwisch:* zuerst der Bart, dann der Derwisch [was unserem «Kleider machen Leute» entspricht].

Andere Anschauungen und Gebräuche gehen auf alte vorislamische, magisch-religiöse Traditionen zurück: die Furcht vor dem bösen Blick, gegen den man sich mit einem Talisman wappnet, das Eingraben von abgeschnittenen Haaren und Nägeln aus Angst vor Zauberern, die einem damit etwas antun könnten, der Glaube an Glücks- und Unglückstage. Bevor man sich an eine wichtige Arbeit oder auf Reise begibt, ist es üblich, einige Körnchen der wilden Raute zu verbrennen, deren herber Rauch die bösen Mächte verscheuchen soll.

Die traditionelle Heilmethode besteht nicht nur in der Verabreichung von Medikamenten auf pflanzlicher Basis, sondern auch im Aufsagen von Beschwörungsformeln und im Bestreichen des Körpers mit einem schneidenden Instrument. Bei Festen und an Orten, zu denen die Massen strömen, finden sich Astrologen, Handliniendeuter und Seher, die mit Hilfe von Würfeln oder mit dem Knöchelspiel arbeiten.

Feste und Spiele

Es gibt zwei Arten von Festen: die religiösen Feste, die sich nach dem Mondkalender verschieben, und die weltlichen Feste, die feststehen und sich nach dem Sonnenkalender richten. Unter den religiösen Festen sind am bekanntesten das *id-e-qurban,* das Opferfest, und das Fest, welches das Ende des Ramadhan anzeigt. Das Neujahrsfest am 21. März, an dem auch die Pflanzungen der jungen Bäume gefeiert wird und das zugleich den Beginn der Pilgerschaft nach Mazar-i-Scharif verkündet, hat einen halb weltlichen und halb religiösen Charakter. Es ist gleichzeitig das Frühlingsfest, an dem man sich unter Freunden Wünsche und Süßigkeiten überbringt, ein Getränkt bereitet, in dem getrocknete Früchte schwimmen, und sich bei fröhlichen Picknicks vergnügt. Am *id-e-qurban* ist es üblich, einen Hammel zu schlachten, dessen Fleisch mit den Notleidenden geteilt wird. Die großen religiösen und weltlichen Feste sind auch ein Anlaß zur Errichtung eines Zeltlagers außerhalb des Ortes, und zwar an einer Stelle, wo genügend Platz vorhanden ist, um auch provisorische Buden zu errichten, Vorführungen zu geben und die *madari,* Taschenspieler aus Indien, und Wahrsager auftreten zu lassen. An diesen Tagen gibt es auch für die Armen ein großes Essen, die *kheyrat,* das einen Opfercharakter hat. Es werden im Freien Feuerstellen gegraben, auf denen in riesigen Kupferkesseln ein Gemisch aus Rindfleisch und Grütze brodelt.

Dscheschen, das Nationalfest, wird Ende August gefeiert und dauert in Kabul eine ganze Woche lang. Zum *tschamam,* der großen Wiese im Osten Kabuls, strömen Besucher aus ganz Afghanistan. In enger Nachbarschaft finden sich Jahrmarkts- und Gauklerbuden, der Zirkus und die Ausstellung der Landeserzeugnisse. Die Paschtunen tanzen zu den Klängen schwerer zweifelliger Trommeln *atan,* einen rhythmischen Reigen. Auf einer weiten grasbewachsenen Bahn wird das *naizabazi* ausgetragen, ein Lanzenspiel der Paschtunen, bei dem der Reiter in voller Geschwindigkeit mit der Spitze seiner Lanze einen in den Boden gerammten Pfahl herausstechen muß. Bei den Turkmenen gibt es Ringkämpfe; mit nackter Brust und zurückgeschlagenem *tschapan* drehen sie sich lange Zeit mit verschränkten Armen umeinander herum, um dann plötzlich mit einem wilden Sprung aufeinander loszustürzen.

Zum Geburtstag des Königs veranstaltet man in Kabul das berühmte *buzkaschi,* jenes Reiterspiel, das über den Winter in ganz Turkestan bei Festen oder an Freitagen die Bevölkerung vereinigt. Die reichen Grundbesitzer, die *bay,* bieten den Bauern dieses Fest aus Anlaß der Beschneidung oder Hochzeit ihrer Söhne.

▶

169 Jugendparade zum Unabhängigkeitsfest. Die Töchter aus der Kabuler Oberschicht erscheinen in den Trachten und zeigen stolz ihre Herkunft. Turkmenenmädchen.

170, 171 Dscheschen-e-Jsteqlal, das dreitägige Unabhängigkeitsfest, bringt Ende August ganz Kabul auf die Beine. Emanzipierte Mädchen und verschleierte Mütter bewundern die fettglänzenden Ringkämpfer, Studenten der Kabuler Universität.

172, 173 Am 15. Oktober, dem Geburtstag des Königs Zaher-Schah, kämpfen auf dem weiten Feld von Bagrami die besten Buzkaschimannschaften von Nordafghanistan um den begehrten königlichen Preis, eine Standarte mit dem Bild eines Kakakulfells.

174, 175 Im Ghazni-Stadion von Kabul flattern über den Schülergruppen, Sportvereinen und Pfadfinderabteilungen die Fahnen des Landes und des Königshauses. Ein Paschtune läßt die zweifellige Trommel im dumpfen Wirbel ertönen.

176 Auf den bemalten Lastwagenkarosserien finden die Träume und Sehnsüchte des Afghanen ihre Darstellung: stolze Schiffe [in einem wasserarmen Binnenland] und rauschende Expresszüge [in einem Land ohne Eisenbahn] sind häufige Bildmotive.

177 Zaher-Charikari fesselt die Gäste eines Teehauses in Dschelalabad mit alten Balladen des berühmten Paschtunendichters Chuschàl-Chan-Chattak.

178, 179 Paschtunen verbringen in Mukur, in der Region von Kandahar, die heißesten Tagesstunden im kühlen Halbdunkel der Tschai-Chana bei Tee und Rauch.

180 Kandahar, die Wüstenstadt im Süden des Landes, zählt mit gut 80 000 Einwohnern zu den großen Städten des Landes und ist ein Zentrum paschtunischer Kultur.

181 Die breiteste und längste Geschäftsstraße Afghanistans: Dschad-e-Maiwand in Kabul.

182, 183 Werden die gewaltigen Bewässerungswerke am Hilmend die Nomaden zu einem seßhaften Leben führen? Inschallah! Wenn Allah es will.

Dank des Herausgebers

Ohne die Einladung meines Freundes Prof. Dr. Wilhelm Krelle, Bonn, an einer bergsteigerischen Expedition zu den Gipfeln des Hindukusch teilzunehmen, wäre ich wahrscheinlich nie nach Afghanistan gereist. Ihm und seinem Kollegen Prof. Dr. Horst Albach verdanke ich die Bekanntschaft mit dem «Land der Disteln und Dornen».

Hilfe und Unterstützung durfte ich von verschiedenen Seiten erfahren. Ich danke sehr herzlich:

den Behörden der königlich afghanischen Regierung für die Erteilung verschiedener Reisebewilligungen,

dem deutschen Team an der Universität Kabul für die Hilfe bei den Vorbereitungen unserer Hindukuschfahrt,

Dr. Siegmar und Uta Breckle für Gastfreundschaft und Begleitung auf verschiedenen Reisen,

Ruedi und Christa Vollmeier für Gastfreundschaft und mancherlei Hilfe,

Azizullah und Torealei Saré für ihre Dienste als Dolmetscher und Reisebegleiter; ihr offenes, herzliches Wesen hat mir den Zugang zu den Menschen Afghanistans erleichtert,

Haq-Morat-Bay für Gastfreundschaft und Kontakte in afghanisch Turkestan,

A. Ghanie Ghaussy für Gastfreundschaft anläßlich einer Industriebesichtigungsreise,

Dr. Christoph Jentsch für wichtiges Kartenmaterial.

Dr. Konrad Widmer und Dr. Emilio Pagani von der Firma Astco Ltd., Kabul und St. Gallen, verdanke ich wertvolle Informationen und Beziehungen. Sie setzten sich tatkräftig für das Zustandekommen dieses Buches ein.

Herr Anton Cipolat von der Firma Möbel-Pfister AG förderte meine Arbeit durch einen großen Fotoauftrag.

Dr. Josef Rast, Direktor des Walter-Verlags, der sich trotz mancherlei Schwierigkeiten mit Begeisterung für die Realisierung dieses Buches eingesetzt hat, und Theo Frey, der mit Feingefühl die Gestaltung des Werkes betreut hat, gehört ein besonderer Dank.

Herbert Maeder